Não me Faça Contar até Três!

Ginger Hubbard

Não me Faça Contar até Três!

FIEL
Editora

H875n Hubbard, Ginger
Não me faça contar até três! : o olhar de uma mãe sobre a disciplina orientada para o coração / Ginger Hubbard ; [tradução: Ingrid Rosane de Andrade Fonseca] – 1. ed., 1 reimpr. – São José dos Campos, SP : Fiel, 2015.

200 p. ; 21 cm.
Tradução de: Don't make me count to three!
Inclui referências bibliográficas.
ISBN 9788581321523

1. Disciplina infantil. I. Título.

CDD: 649.64

Catalogação na publicação: Mariana C. de Melo – CRB07/6477

Não me faça contar até três – O olhar de uma mãe sobre a disciplina orientada para o coração
Traduzido do original em inglês:
Don't Make Me Count to Three! – A mom's look at heart-oriented discipline

Publicado em inglês por:
Shepherd Press
PO Box 24, Wapwallopen, PA 18660

Primeira edição em português: 2013

Diretor: Tiago J. Santos Filho
Editor: Tiago J. Santos Filho
Tradução: Ingrid Rosane de Andrade Fonseca
Revisão: Sabrina Sukerth Gardner
Capa: Rubner Durais
Diagramação: Rubner Durais
ISBN: 978-85-8132-152-3

Caixa Postal, 1601
CEP 12230-971
São José dos Campos-SP
PABX.: (12) 3919-9999
www.editorafiel.com.br

Para os meus pais, Chuck e Bonnie Ferrell

Ele tem nos restituído os anos consumidos pelo gafanhoto.
Eu me levanto e lhes chamo bem-aventurados.
Salmo 37.5

ÍNDICE

Agradecimentos

Os meus profundos agradecimentos aos dois filhos mais preciosos que uma mãe poderia desejar, Wesley e Alex, por me permitirem usar os exemplos da nossa própria família, a fim de encorajar outros. Vocês dois são as minhas maiores bênçãos!

Eu gostaria de expressar a minha profunda gratidão a Tedd Tripp, cujo livro e série de vídeos *Pastoreando o coração da criança* são, na minha opinião, os materiais para criação de filhos mais centrados em Cristo no mercado hoje. Sua compreensão sobre disciplina bíblica e orientada para o coração não só moldou meu próprio modelo de criação de filhos, mas formou também a espinha dorsal deste livro.

Meus agradecimentos a Lou Priolo, cujo excelente trabalho em *O coração da ira* e *O caminho para o filho andar* se reflete neste livro.

Eu também sou grata por Roy Lessin. Seu livro *Disciplina – um ato de amor* me ajudou tremendamente a compreender as diferenças entre a palmada mundana e a disciplina bíblica.

Muito da sabedoria que ganhei de você está refletida nos capítulos 9-12.

Um agradecimento especial às minhas amigas "líderes de torcida", Lisa O'Quinn e Aimee Schmitt, que perguntaram um milhão de vezes: "Quando é que você vai escrever um livro?" E, então, passaram a ficar no meu pé até que eu o escrevesse.

Agradeço à Debra Stabler, uma editora extraordinária, por ir muito além da obrigação, aperfeiçoando as muitas falhas deste livro.

Um grande obrigado ao meu herói do ciberespaço, Al Roland, que recuperou este trabalho várias vezes desde as entranhas do meu computador enquanto eu "enlouquecia" pelo telefone.

Meus sinceros agradecimentos a Glynnis Whitwer, que atiçou a minha paixão por escrever ao me ensinar a como fazê-lo direito.

Um obrigado entusiasmado a Mark Maddox, por me incentivar a não desistir de ter esse livro publicado. Sua confiança em mim e neste trabalho significou mais do que você jamais saberá.

Eu gostaria de reconhecer e agradecer aos leitores que ofereceram informações valiosas para melhorias: Gina Ferrell, Julie Daum, Thelma Plowman, Andi Barnes, Glenn e Lena Sollie, James e April Martin.

Eu também gostaria de agradecer à minha querida amiga Rebecca Ingram Powell por sempre saber exatamente o que dizer e por interromper o meu trabalho com *e-mails* me lembrando de "comer" e "dormir". Que bênção é trilhar a jornada de escritora com você!

Eu agradeço especialmente ao meu pastor, Al Jackson, e Patty Chance, por suas sugestões no Apêndice B.

Um agradecimento caloroso ao meu amigo e mentor Toma Knight. A sabedoria que obtive com você ao longo dos anos está espalhada por todo este livro. Eu também apreciei sua ajuda com o Apêndice C.

Obrigada, Walter Henegar, por me manter biblicamente correta e por *arrumar* todos os meus problemas gramaticais sulistas.

Sou especialmente grata a Aaron Tripp, Rick Irvin e à equipe da Shepherd Press por fazer deste livro uma realidade. É uma honra servir a uma editora que exalta Jesus.

E, acima de tudo, agradeço ao meu Senhor e Salvador, Jesus Cristo, por me conceder o privilégio de encorajar as mães de todo o país. Que o Senhor seja glorificado!

PREFÁCIO

"Não me faça contar até três!"

"Espere só até seu pai chegar a casa!"

"Você não vai gostar se eu for até aí!"

"Você quer uma surra?"

"Se você não se comportar, você vai levar."

Soa familiar? Não importa como você os diga, esses tipos de declarações têm todos uma coisa em comum: ajudar os pais a evitar os problemas de disciplina.

Todos os pais querem que seus filhos obedeçam, mas muitos falham em conseguir a obediência. Alguns ameaçam. Alguns chantageiam. Alguns usam "acabou o tempo". Outros simplesmente ignoram os atos de desobediência. Será que os pais evitam esses problemas porque não sabem como lidar com eles?

Nós, as mães, tendemos a pensar que, após o nascimento de uma criança, a parte mais difícil já passou. Nós suportamos meses de enjoo matinal, ficamos chocadas com as mudanças em nossos corpos feitas pela gravidez e ainda sobrevivemos ao próprio processo de parto com risco de morte. Que surpresa foi saber que a parte mais difícil estava apenas começando!

Depois do nascimento do meu filho, li sobre as etapas pelas quais ele estava prestes a passar – os assim chamados "terríveis dois anos" estavam logo adiante. Eu lutei para ficar um passo à frente do desenvolvimento dele. Tão avidamente quanto eu li os livros do tipo "O que esperar durante a gravidez", agora eu lia os livros do tipo "Como criá-los agora que você já os teve". Ao estudar as Escrituras e ler livros repletos de sabedoria bíblica, tornou-se evidente que eu deveria ligar disciplina à instrução. Eu tive que aprender a atingir além do comportamento exterior e extrair o que estava dentro do coração dos meus filhos. Meu marido e eu tivemos que tomar uma decisão quanto a dar palmadas ou não. E tivemos que encarar o desafio sobre o que exatamente era a instrução bíblica e como a daríamos na proporção correta e na hora certa. Este livro é o resultado do que aprendi.

Livros sobre como disciplinar o seu filho são comuns. Alguns desses livros são profundamente bíblicos. Mas poucos são aqueles que esclarecem ao leitor a forma de *aplicar* as escrituras de uma forma prática para instruir seu filho. Esse é o meu objetivo neste livro.

Ginger Hubbard

Uma palavra da autora

Cara! Ninguém nunca me disse o quão exigente seria escrever um livro. Também nunca me disseram como isso paralisaria o cérebro para qualquer outra necessidade de pensamento, a não ser a sua própria. Eu acredito que a gíria para essa condição do cérebro seja "frito". Recentemente, esperei na fila do banco, encostei no guichê e olhei fixamente para o caixa enquanto dizia: "Eu não tenho ideia do por que estou aqui. Eu deveria estar indo para a agência de correios". Ela parecia bastante preocupada quando eu fui embora.

Meus filhos me rotularam de "dopada", e o marido questionou por que uma família de quatro precisa de três galões e meio de leite. Sim, escrever um livro é exigente *assim*. Ufa, finalmente acabei. Agora tudo o que resta é orar para que o livro seja usado para glorificar a Deus, encorajar os pais e beneficiar os filhos.

Eu não sou uma especialista em criação de filhos e não escrevi este livro com base na minha própria autoridade. Ele foi escrito baseado na autoridade da Palavra de Deus e a especialidade do seu conselho. Eu ouvi muitos "especialistas" declararem que a Bíblia tem pouquíssimo a dizer sobre a educação dos filhos. Talvez eles tenham gastado muito tempo obtendo seus graus e muito pouco aprendendo as Escrituras. A Palavra de Deus tem muito a dizer aos pais, se a lermos diligentemente, aplicá-la e colhermos seus frutos. Verdadeiramente, Deus nos deu tudo de que precisamos para a vida e piedade (2Pe. 1.3).

"E também faço esta oração: que o vosso amor aumente mais e mais em pleno conhecimento e toda a percepção, para aprovardes as coisas excelentes e serdes sinceros e inculpáveis para o Dia de Cristo" (Fp. 1.9-10).

PARTE I
CHEGANDO AO CORAÇÃO DE SEU FILHO

Capítulo 1

O CHAMADO CELESTIAL DA MATERNIDADE

Se eu tiver que responder a mais uma pergunta insignificante, limpar mais um nariz congestionado ou fazer curativo em mais algum dodói hoje, vou arrancar meus cabelos... e talvez os cabelos de quem estiver por perto também!

"Já chega, crianças! Eu vou tomar um banho de espuma bem quente e recomendo fortemente contra quaisquer interrupções. A menos que alguém esteja morto ou morrendo, não batam na porta!"

Enquanto afundo na minha espuma com fragrância de baunilha, oro: "Deus, isso é realmente o que eu deveria estar fazendo? Quero dizer, o Senhor não tem algo realmente importante para mim que exija um pouco mais de habilidade do que amarrar sapatos e tirar a casca de sanduíches?" Deixe-me voltar e lhe contar sobre mim antes de chegar a este ponto de minha vida. Eu nem sempre estive beirando à loucura. Não faz muito tempo que realmente tive a mente sã. Eu gerenciava com sucesso um negócio em expansão e de boa reputação, dava aconselhamento sobre organização e dirigia um automóvel muito legal que NÃO acomodava um time inteiro de futebol e a mim, confortavelmente. Gostava de programas de televisão que não eram apresentados por vegetais cantores ou um dinossauro roxo. Eu nunca encontrei o telefone na geladeira e nunca experimentei o puro pânico de tentar lembrar para quem eu estava ligando antes de a voz do outro lado da linha dizer: "Alô"! Ontem eu fiz um pedido pelo telefone. Quando a vendedora me pediu o endereço, tive que colocá-la em espera. Eu absolutamente não conseguia me lembrar do meu próprio endereço. Ele acabou vindo à minha mente quando eu estava chegando à agenda telefônica para procurá-lo.

O que aconteceu? O bastão ficou azul. Eu troquei a Victoria's Secret pelo conforto elástico da Sloggi. Encaixotei minhas músicas cristãs contemporâneas – você me encontrará dançando ao som de "Canções Divertidas com Larry". É adeus ao jornal e olá para o Elmo.

Às vezes, sinto como se apenas me vestir e chegar até ao fim do dia é tudo que consigo realizar. "Não há nada mais que queiras que eu faça hoje, Senhor?" Finalmente, ouço aquela voz mansa e delicada. Posso não ter encontrado uma cura para o câncer ou ter vencido a fome mundial, mas enquanto mergulho em minha banheira, Deus gentilmente me lembra do que de fato realizei hoje. Tive o privilégio de ouvir as esperanças e os sonhos de um lindo jovem que pensa que sou a melhor mulher do mundo. Ele tem um pouco mais de um metro de altura e só fica realmente animado com Legos e pizza, mas é engraçado, charmoso e nunca entediante.

Eu também pude ver um sorriso brilhante e precioso iluminar o doce rosto da minha filha de cinco anos de idade quando tirei um tempo para invadir a casa da Barbie com alienígenas verdes. Enquanto ela gritava de alegria, meu coração se derretia.

De fato, tive alguns minutos de privacidade bem apreciada, como por exemplo, ser capaz de me manter no banheiro sem ter alguém batendo à porta. Na verdade, registrei esse evento raro no meu diário na parte de "milagres". Comecei a ler alguns dos grandes clássicos. Em voz alta. Esqueça Dickens, nós temos as obras do Dr. Seuss. Fui capaz de tirar a poeira, organizar, limpar, aconselhar e cozinhar. Beijei os dodóis e enxuguei as lágrimas. Eu elogiei, repreendi, incentivei, abracei e testei minha paciência, tudo antes do meio-dia.

Sim, minha maior realização hoje foi educar os dois filhos preciosos que Deus confiou aos meus cuidados.

Agora vamos falar sobre o meu maior desafio de hoje... e de cada dia. Criar esses dois preciosos filhos nos caminhos do Senhor. Deus tem realmente um trabalho importante para mim, e ele requer muita habilidade. É a minha vocação, minha prioridade, minha luta e meu objetivo. Aproveitarei a oportunidade e aceitarei a tarefa presente. Amarei, cuidarei e treinarei meus filhos da maneira que Deus me chamou para fazer.

Mães, nós precisamos ser lembradas da tremenda responsabilidade que Deus nos deu. Quando respondemos ao chamado celestial da maternidade com paixão, as recompensas são muito maiores do que qualquer outra que poderíamos ganhar fora desse chamado. As alegrias da maternidade são tesouros raros e belos que podem ser facilmente perdidos se não aproveitarmos a oportunidade para agarrá-los.

Ser mãe é mais do que ser cozinheira, motorista, empregada doméstica, conselheira, médica, juíza, disciplinadora, etc. (só para citar alguns). É sobre moldar o caráter, construir confiança, cuidar, ensinar e orientar. Não há nada como a influência que uma mãe tem sobre seu filho. A influência de uma mãe tem um potencial enorme de moldar a pessoa que a criança se tornará, para o bem ou para o mal.

Ouça o que Thomas Edison disse sobre a mãe dele: "Minha mãe foi quem me fez assim como sou. Ela era tão confiante, acreditava tanto em mim; e eu senti que tinha alguém por quem viver, alguém que eu não devia decepcionar".[1]

Abraham Lincoln descreveu a própria mãe como a responsável principal por tudo o que ele era ou esperava se tornar.[2]

George Washington disse: "Minha mãe era a mulher mais linda que eu já vi. Tudo que eu sou devo à minha mãe. Eu atribuo todo meu sucesso na vida à educação moral, intelectual e física que recebi dela".[3]

Uau! Que honra! Essas crianças certamente se levantaram e chamaram suas mães de bem-aventuradas. Como essas mulheres fizeram isso? Uma coisa é certa. As mães desses grandes homens sabiam como alcançar os corações de seus filhos. Elas conheciam a importância da Palavra de Deus na formação e educação de seus meninos. Elas compreenderam a disciplina bíblica e fielmente instruíram seus filhos nos caminhos do Senhor. E você pode apostar que elas nunca contaram até três!

Você provavelmente buscou este livro porque também deseja ensinar seus filhos de acordo com a Palavra de Deus. Deseja ser a melhor mãe que puder ser. Deseja que seus filhos cresçam e a chamem ditosa. Boa notícia, mamãe: a Palavra de Deus está cheia de instruções para você. Vamos explorar essas instruções juntas.

Uma palavra de advertência

À medida que começamos a nossa jornada juntas, quero alertá-la. A Palavra de Deus nunca volta vazia. Isso significa que, conforme você aprende a aplicar a Palavra de Deus na formação de seus filhos, começará eventualmente a ver os frutos. Você testemunhará sucessos na criação de seus filhos. Seus filhos começarão a mudar, e você se alegrará com essas mudanças. Este é o momento em que uma nova tentação levanta a sua cabeça repulsiva. Tenha cuidado para não deixar o orgulho entrar em seu coração. O orgulho é tão ruim que é listado como uma das coisas que Deus odeia (Pv. 8.13).

Eu me lembro do pecado do orgulho entrar pela primeira vez na minha vida aos cinco anos, quando meus pais me compraram um aparelho de karaokê para o Natal. Eu ficava de pé em frente ao espelho em meus pijamas por horas assistindo a mim mesma cantar. Eu achava que era excepcionalmente boa. Quando estava com seis anos, reunia pequenas multidões nas reuniões de família, na escola e parquinhos locais, cantando *Delta Dawn* para quem quisesse ouvir. Eu acredito que Deus soubesse que a minha capacidade de cantar bem me colocaria em risco de presunção completa. Então, hoje, posso dizer com grande confiança que não consigo cantar mais coisa alguma. Bem, na verdade, eu soo bastante decente no chuveiro, mas, mais uma vez, todos soam decentes no chuveiro.

Provérbios 16.18 adverte: "A soberba precede a ruína, e a altivez do espírito, a queda". Eu não aprendi a minha lição enquanto criança, mesmo depois que Deus me deixou incapaz de cantar com precisão. No entanto, Deus não desistiu de mim. Ele continuamente precisa me lembrar da minha tendência rebelde de ser orgulhosa, e muitas vezes Ele me humilha. Uma lição em particular se destaca. Eu aprendi humildade em uma sexta-feira à tarde no supermercado, cerca de três anos atrás.

Normalmente, faço as minhas compras de supermercado pela manhã, enquanto a loja não está tão cheia. Mas, por alguma razão, eu me encontrei esperando na fila do caixa às 18h na sexta-feira com os meus dois filhos. O lugar estava lotado. Havia caixas em todas as dez máquinas registradoras e seis ou sete carros em cada fila. Na fila ao meu lado, a última fila de todas, esperava uma mãe e seus dois filhos pequenos. Eles tinham cerca das mesmas idades dos meus filhos, três e cinco. Pequenos refrigeradores cheios de bebidas diversas estavam estrategicamente localizados no final de cada balcão.

O de cinco anos de idade começou a implorar a mãe por uma Coca (Que comecem os jogos!).

A mãe deu um firme "Não". O garoto começou a caminhar até ao refrigerador.

A mãe disse (em voz alta): "É melhor você não abrir a porta!". O menino abriu a porta.

"É melhor o senhor não pegar uma bebida!". O menino pegou uma Coca.

"Se você abrir essa Coca, você vai ver!". O rapaz tirou a tampa, jogou-a no chão, e tomou um gole grande.

A mãe estava gritando agora, completamente enlouquecida. "Espera só até chegar em casa e o seu pai ouvir sobre isso! Vocês, crianças, nunca me escutam. Eu já estou por aqui com vocês dois!" Ninguém foi capaz de decifrar a localização exata do "aqui", mas nós continuamos ouvindo ainda assim. Não é que estivéssemos sendo intrometidos. É que não havia mais nada para fazer enquanto esperávamos na fila, por isso essa cena tinha toda a atenção de cada cliente. Agora, para que todas essas pessoas assistissem à cena que se desenrolava, elas tinham que olhar através de mim e dos meus filhos, que nesse dia em particular estavam se comportando bem. Entra agora o orgulho. Em vez de ter compaixão por essa pobre mãe e as lutas que ela estava tendo com os seus filhos, eu presunçosamente pensei: "Você não verá *meus* filhos agindo assim".

E então aconteceu. A minha filha de três anos de idade, Alex, estava bem atrás de mim quando, de repente, ela soltou as palavras mais horríveis que alguém possa imaginar. Foi como se ela tivesse pegado um dos microfones de um dos caixas e gritado nele com toda a sua força. Agitando as mãos freneticamente em frente ao seu rosto, com uma voz SUPER potente, ela gritou: "Mamãe! Você soltou um pum!" Meu corpo inteiro congelou. O tempo parou. Até hoje, eu não sei o que foi pior – o segundo em que ela deixou escapar isso ou o minuto que levou para todos perceberem que era verdade.

Eu sou um testemunho vivo de Provérbios 11.2a: "Em vindo a soberba, sobrevém a desonra". Querida Mãe, ao experimentar o sucesso na criação de seus filhos, por favor, não se torne orgulhosa. Solte um pum em um supermercado!

Capítulo 2
Definindo disciplina

Disciplina. Apenas mencionar a palavra soa severo. Por que isso? Talvez sua imagem rigorosa venha da definição distorcida que a sociedade colocou sobre ela. A sociedade retrata a disciplina como o castigo que envolve raiva, gritos e atos severos, ou até mesmo cruéis.

Atualmente, muitos pais acreditam cegamente na definição de disciplina da sociedade. Por relacionarem a palavra a uma instrução negativa, preferem tolerar o comportamento de seus filhos a corrigi-lo. Aqueles que ainda tentam estabelecer limites tendem a perder o coração de seus filhos. Eles tentam meramente *controlar* seus filhos, concentrando-se apenas em seu comportamento exterior. Adotaram a filosofia de que se conseguem fazer seus filhos agirem corretamente, então eles os estão criando da forma certa.

Recentemente, ouvi um dos psicólogos mais atuais e de mais rápida ascensão apresentar seus métodos de educação infantil. O anúncio de televisão apoiava suas afirmações com alguns testemunhos de pais que expressavam a rapidez com que seus métodos ceifaram benefícios no comportamento de seus filhos. Queridos pais, nós não precisamos de métodos que estão na moda. Precisamos de métodos de Deus. Embora algumas das ideias modernas soem bem e possam até colher alguns benefícios externos, nós não estamos buscando ações aparentes apenas, mas a purificação interior. Estamos atrás dos próprios corações de nossos filhos.

Uma visão bíblica da disciplina

Embora a sociedade relacione disciplina a um uso descontrolado do castigo físico, a disciplina bíblica envolve amor, o coração e a Palavra de Deus. Por Deus estar preocupado com as questões do coração, a disciplina bíblica envolve muito mais do que o comportamento externo. A disciplina bíblica chega ao cerne do problema. Afinal de contas, se você consegue chegar até o coração, o comportamento cuidará de si mesmo. Para que alcancemos os corações de nossos filhos, devemos perceber que há muito mais na criação de filhos do que apenas fazê-los *agir* corretamente. Precisamos levá-los a *pensar* corretamente e serem motivados por um amor de virtude em vez do medo da punição. Fazemos isso ao instruí-los na justiça. A instrução justa só pode vir a partir da Palavra de Deus.

Em Efésios 6.4 nos é dito: "criai-os na disciplina e na admoestação do Senhor". Eu descobri que a segunda parte do versículo é muito mais desafiadora do que a primeira.

É fácil dizer aos nossos filhos que eles agiram de forma errada e castigá-los por isso, porém, é preciso muito mais preparação, disciplina, entendimento e autocontrole da nossa parte para realmente *instruí-los* de acordo com a Palavra de Deus. Essa abordagem exige muita atividade cerebral, requerendo que *pensemos* e *verbalizemos* essa instrução fiel. E isso de uma mãe cuja atividade cerebral parece ser excepcionalmente baixa após uma provação – alguns dias extenuantes com as crianças!

Quando eles desobedecem, pensamos que fizemos bem ao dizer: "Isso foi errado, e você não deveria ter feito isso... (*paft, paft, paft*) agora, vá para o seu quarto!" Ao fazermos isso, fazemos apenas a metade do que Deus nos chamou para fazer.

Certamente Deus nos chamou para usar a vara para afastar a insensatez do coração dos nossos filhos. Em Provérbios 22.15, nos é dito: "A estultícia está ligada ao coração da criança, mas a vara da disciplina a afastará dela". Mas igualmente importante é que Ele nos chamou para "admoestá-los". As passagens que dizem respeito à disciplina nos dizem claramente que Deus destinou os dois a andarem junto. Efésios 6.4 diz: "... criai-os na disciplina e *admoestação* do Senhor" (grifo meu). Vemos os dois juntos novamente em Provérbios 29.15: "A vara *e a repreensão* dão sabedoria, mas a criança entregue a si mesma envergonha a sua mãe" (grifo meu).

Felizmente, a Bíblia nos orienta em como repreender biblicamente e como instruir fielmente nossos filhos. Nós também somos munidos com exemplos de pais que educaram seus filhos com sucesso e dos frutos que colheram como resultado. Um exemplo é a "mamãe" de Provérbios 31.

A mamãe de Provérbios 31

Todas nós desejamos ser a mulher que Deus nos chamou para ser – e nós não temos modelo mais exemplar do que a mulher citada em Provérbios 31. No versículo 26 nos é dito que ela "fala com a sabedoria e a instrução da bondade está na sua língua". De onde essa sabedoria vem? Há vários versículos em Provérbios que nos dão pistas: "A boca do justo produz sabedoria" (Pv. 10.31). "O temor do Senhor é o princípio do saber" (Pv. 1.7). Se você deseja se tornar uma mãe sábia, que pode transmitir essa instrução sábia, deve começar temendo o Senhor e se encontrar justa diante dele (para saber como se tornar justa, consulte o Apêndice A).

Provérbios 31.28 também descreve a atitude dos filhos em relação a uma mãe piedosa: "Levantam-se seus filhos e lhe chamam ditosa". Essa não é uma mãe que permite que seus filhos sejam desrespeitosos ou desobedientes. A mãe em Provérbios é a mãe que ensinou, educou, guiou e instruiu seus filhos diligentemente enquanto eles eram jovens e estavam em sua casa. Agora, presumivelmente como adultos, eles estão se levantando e lhe chamando ditosa. Por que eles se levantam e lhe chamam ditosa? Porque ela os preparou para a vida adulta. Ela os preparou para governarem suas próprias ações. Ela os preparou para regularem suas próprias vidas de acordo com a Palavra de Deus. Eles a abençoam porque foram abençoados por ela.

Agora, não espere que seu filho de cinco anos de idade se levante e lhe chame ditosa. Provavelmente não vai acontecer. Mas seja paciente: você colhe o que planta, colhe mais tarde do que planta e colhe mais do que planta. A mulher de Provérbios 31 colheu os benefícios da instrução da bondade que ela semeou por muitos anos nos corações de seus filhos. Você também colherá! Seja encorajada!

O CORAÇÃO DO PROBLEMA É O PROBLEMA DO CORAÇÃO

O coração é o fundamento do comportamento. Quando nossos filhos se expressam pecaminosamente, seja na forma de egoísmo, desobedecendo, respondendo de forma insolente, fazendo birras ou atacando a nós ou seus irmãos, eles estão sorvendo o que está em seus corações. Provérbios 4.23 diz: "Sobre tudo o que se deve guardar, guarda o coração, porque dele procedem as fontes da vida". O coração é o poço do qual todas as respostas para a vida jorram. O comportamento que uma pessoa exibe é uma manifestação daquilo de que está cheio o coração. Para colocar isso de forma simples, o coração determina o comportamento.

J. C. Ryle diz: "A mãe não pode dizer o que seu tenro filho virá a ser, alto, baixo, fraco ou forte, sábio ou tolo: ele pode ser qualquer um desses ou não, tudo é incerto. Mas uma coisa a mãe pode dizer com certeza: ele terá um coração corrupto e pecador".

A fim de compreender a natureza do pecado, devemos entender estas três verdades:

1. *O seu filho nasce pecador*. "Pois todos pecaram e carecem da glória de Deus" (Rm. 3.23). Seu filho nasceu um pecador porque herdou o pecado de Adão. Isso é chamado de pecado original e explica por que uma sala cheia de crianças não precisa ser instruída a como lutar por um brinquedo. Elas simplesmente sabem.

John McArthur diz: "As crianças nascem pecadoras, e esse pecado não se manifesta em virtude do que os pais fazem, mas por aquilo que deixam de fazer".

2. *O pecado está ligado ao coração de seu filho*. Provérbios 22.15 diz: "A estultícia está ligada ao coração da criança". A definição de John Wesley de *ligado* é "fixado e estabelecido, enraizado em sua própria natureza". Não seria natural se seu filho não pecasse. No entanto, isso não dispensa os pais da responsabilidade dada por Deus de educarem seus filhos na disciplina e instrução do Senhor. A Escritura afirma claramente que, quando nós pecamos, sofremos as consequências. As Escrituras também são claras acerca de que os pais devem administrar a disciplina quando os filhos desobedecem (quando eles pecam).

Quando os pais dão ouvidos ao mandamento de Deus sobre educarem seus filhos na justiça por meio do uso da vara e da repreensão, o método de Deus para afastar a estultícia do coração da criança está sendo colocado em prática. Deus ordena os pais a confiarem nele e a terem participação ativa na educação de seus filhos.

3. *O pecado não é engraçado*. Vamos encarar o fato: às vezes, é difícil não rir de nossos filhos quando eles estão pecando

descaradamente. No entanto, os cristãos não devem rir ou tratar como banais as coisas pelas quais Deus enviou Seu Filho para morrer. O pecado não é engraçado. Nós talvez achemos que é bonitinho quando a pequena Sally está orgulhosa de si mesma por empurrar o valentão da classe para o chão, mesmo ele sendo duas vezes seu tamanho. Nós talvez achemos que é bonitinho o Tommy, de três anos idade, colocar as mãos nos quadris, pôr seu adorável lábio inferior para fora e, com todo seu charme, dizer: "Não", após a sua mamãe lhe dizer: "Vem aqui". Mas Deus não acha que é bonitinho, e se nós quisermos ter a mentalidade de Cristo, também não deveríamos achar.

Deixe-me contar a história do "Doug". Quando a minha filha Alex tinha três anos, ela sabia que não estava autorizada a mexer no meu estojo de maquiagem. Era hora do jantar e a nossa família estava sentada à mesa comendo quando Mickey, nosso pequeno cão Yorky, veio todo empinado para a cozinha usando batom. Foi uma visão bastante hilária. Assumindo o óbvio, todos nós olhamos para Alex, que começou a cantarolar inocentemente e a agir como se nada estivesse fora do comum. Dizer que o meu filho Wesley começou a rir seria um eufemismo. Ele ficou completamente sem controle.

Após ser questionada sobre como Mickey veio a ter lábios de "Jacarandá", Alex nos olhou nos olhos e, com uma expressão extremamente séria e grave, respondeu: "Doug fez isso". Meu marido e eu nos entreolhamos tentando avaliar a nova informação. Quando ficou óbvio que nenhum de nós dois conhecia ninguém, dos amigos ou da família, com o nome de Doug, nós nos voltamos novamente para Alex e perguntamos: "Quem é Doug"? Ela desceu da mesa, desapareceu por alguns minutos e então voltou com o Doug. Doug se mostrou ser um personagem de ação de dez centímetros de altura munido de uma capa e um clipe em cima de sua cabeça, para que pudesse ser fixado às roupas de alguém ou a algum outro item.

Eu queria ter a certeza de que ela não estava confundindo honestidade com fingimento, então eu perguntei: "Alex, você pegou o batom da mamãe e colocou nessa coisa em cima da cabeça do Doug e depois ajudou o Doug a passar o batom no Mickey?" "Oh, não senhora", foi a resposta, como se estivesse chocada por eu sugerir uma coisa dessas. "Eu não peguei o seu batom porque eu não tenho permissão para pegar o seu batom, isso seria desobedecer. Eu estava no meu quarto, e Doug foi até o seu quarto e fez tuuuuudo sozinho. Ele passou o batom no Mickey." O seu contato visual era realmente incrível enquanto contava a pecaminosidade de Doug em grande detalhe. Ela estava tentando arduamente ser séria e convincente.

Nessa altura, meu marido estava gargalhando. Eu olhei para ele e para Wesley com um olhar severo. Meu marido, percebendo a gravidade da ofensa, tentou esconder o riso. Ele enterrou a cabeça nos braços cruzados sobre a mesa, mas os seus ombros estavam chacoalhando para cima e para baixo enquanto tentava conter o riso. E era TÃO DIFÍCIL não rir. Ela era completamente adorável com seu rosto doce e delicado, seu rabo de cavalo loiro subindo e descendo enquanto nos assegurava de que o "Doug fez isso".

Agora estávamos todos atrasados para o jogo de futebol do Wesley. O ponto alto da semana de Alex é assistir ao Wesley jogando futebol. Eu disse a ela: "Alex, o Doug não fez isso. O Doug não é capaz de caminhar até o meu quarto, pegar o meu batom e passá-lo no cachorro".

Eu lhe mostrei na Bíblia o que Deus diz sobre a mentira e lhe disse que ela não poderia ir ao jogo de futebol – mas poderia sentar-se em sua cama até que estivesse pronta para ser honesta. Então, meu marido levou Wesley ao futebol, e Alex estava chorando em seu quarto porque estava perdendo o jogo. Eu estava esperando que ela confessasse logo para que pudéssemos lidar com isso e encontrá-los no campo de futebol. As coisas nunca são tão simples.

Quando fui ao quarto dela e perguntei se ela estava pronta para ser honesta, ela se sentou ereta em sua cama e disse: "A razão pela qual o Doug pôde fazer isso por si mesmo é porque eu coloquei pilhas nele".

Tenha em mente, ela tinha três anos de idade. Eu a deixei pensar um pouco mais e quando voltei... ela estava dormindo. Eu não queria que ela fosse dormir com esse pecado oprimindo fortemente seu coração, então, eu gentilmente a cutuquei e disse: "Acorda, Alex".

Eu não podia acreditar. Era como algo saído de "O Exorcista". Ela se levantou subitamente e delirantemente começou a cantar: "Doug fez isso! Doug fez isso! Doug fez isso!" Para encurtar uma longa história, uma mentira se tornou uma bola de neve de muitas mentiras. Eu a vesti para dormir e enquanto estava escovando os dentes dela, ela finalmente começou a chorar. Eu podia dizer que era um choro de arrependimento. Eu perguntei: "Dizer mentiras faz você se sentir mal, não é, Alex?" Ela assentiu com a pequena cabeça. "Sabe, querida, a maneira triste que você se sente agora é a mesma maneira como Deus se sente quando você conta uma mentira". Ela então começou a me contar o que realmente aconteceu. Ela estava absolutamente aliviada e grata por ter apanhado. Seu coração estava limpo.

Tudo isso para dizer: teria sido fácil para nós rirmos disso e dizer: "Ah, ela tem apenas três anos. Você consegue acreditar que ela possa inventar uma história dessas?" Mas Deus leva a sério o pecado, e nós também deveríamos. Se tivéssemos rido dela, achando bonitinho, ela teria mantido essa culpa em seu coração, e isso a teria endurecido e oprimido. Eu não trocaria nada pela liberdade que ela teve após receber a palmada e limpar seu coração. Eu acho que ela também não trocaria.

O QUE ESTÁ POR DENTRO

A Bíblia ensina que o comportamento não é o problema básico. A questão básica é sempre o que está acontecendo no coração. "... *de* dentro, do coração dos homens, é que procedem os maus desígnios, a prostituição, os furtos, os homicídios, os adultérios, a avareza, as malícias, o dolo, a lascívia, a inveja, a blasfêmia, a soberba, a loucura" (Mc. 7.21-22). A parte "de dentro" desse versículo nos diz que os comportamentos externos são apenas as manifestações do problema real, que se encontra no coração. A Bíblia usa o coração para falar do seu eu interior.

Lucas 6.45 diz: "O homem bom do bom tesouro do coração tira o bem, e o mau do mau tesouro tira o mal; porque a boca fala do que está cheio o coração". O coração é o centro de controle da vida. O comportamento é simplesmente o que o alerta para a necessidade de correção de seu filho. Mas não cometa o erro que muitos pais cometem, permitindo que seu desejo por mudança de comportamento substitua seu desejo por um coração mudado. Se você conseguir alcançar o coração, o comportamento cuidará de si mesmo. Tenha em mente que é possível fazer com que seu filho mude o próprio comportamento irritante para aquele que é aceitável, sem que haja uma mudança efetiva no coração.

Ensinar os seus filhos apenas a mudar o seu comportamento externo não é mais louvável do que ensinar uma foca a saltar através de um aro. Tedd Tripp diz:

Uma mudança de comportamento que não decorre de uma mudança no coração não é louvável; é condenável. Não é a mesma hipocrisia que Jesus condenou nos fariseus? Em Mateus 15, Jesus denuncia os fariseus que o honravam com os seus lábios, enquanto seus corações estavam longe dele. Jesus os censura como pessoas que lavam o exterior do copo enquanto o interior ainda está sujo.[1]

Quando nos concentramos no comportamento externo de nossos filhos e negligenciamos o que está por dentro, fazemos com que nossos filhos se tornem manipuladores. Eles aprenderão a nos agradar saltando através do aro (agindo da maneira que lhes dizemos para agir, motivados pelo medo da punição), mas não aprenderão a justiça de Cristo. Na verdade, se nos focarmos apenas sobre as leis de comportamento externo, mas falharmos em educar seus corações de acordo com a Palavra de Deus, corremos o risco de lhes fazer ver o cristianismo como um conjunto de regras penosas. Como resultado, eles talvez nunca experimentem o que significa verdadeiramente conhecer Cristo e seu poder de transformar vidas.

A lei de Deus demanda de fato que exijamos um comportamento apropriado, mas não podemos nos satisfazer em deixarmos a questão por aí. Deus diz que devemos ensinar nossos filhos na justiça. Nós devemos ajudar nossos filhos a entenderem que seus corações desgarrados *produzem* um comportamento errado. Se quisermos realmente ajudar nossos filhos, temos que trabalhar em sentido inverso, a partir do comportamento para o coração. Devemos estar preocupados com as atitudes do coração que dirigem o seu comportamento. Nós fazemos isso ao nos comunicarmos com nossos filhos de tal maneira que eles sejam levados a não apenas entender uma atitude semelhante à de Cristo, mas que aprendam a como torná-la mais substancial em suas vidas.

Capítulo 3

Extraindo os problemas do coração

Muitas vezes pensamos que, se somos capazes de expressar nossos pensamentos e sentimentos com êxito para outra pessoa, então somos bons comunicadores. Pensamos que, se falarmos a nossos filhos sobre os caminhos justos de Deus, estamos os ensinando e os alcançando por meio da comunicação. No entanto, a comunicação verdadeiramente benéfica é baseada não apenas na capacidade de falar, mas também na capacidade de ouvir. Deixe-me sugerir que, em vez de falar para seu filho, você fale com seu filho. Ao aprender a se comunicar de forma eficaz, você é capaz de perceber o que está acontecendo com sua família.

Devemos procurar entender o que está dentro dos corações de nossos filhos, bem como lhes mostrar como compreender e avaliar o que está em seus corações. Provérbios 18.2 fala sobre a questão daqueles que só praticam o falar a alguém, em vez do falar com alguém. Está escrito: “O insensato não tem prazer no entendimento, senão em externar o seu interior". Provérbios 18.13 nos lembra: "Responder antes de ouvir é estultícia e vergonha". Esses versículos nos ajudam a entender que se precisa de muito mais para haver comunicação do que apenas expressar nossos próprios pensamentos com êxito.

A forma mais produtiva de comunicação é aprender a como extrair os pensamentos do outro. Quando você auxilia seu filho a compreender o que está em seu coração, você está ensinando-o a avaliar suas próprias motivações, o que o ajudará a equipar-se para sua caminhada com Cristo à medida que se torna adulto. E, como vimos em Provérbios 31, tal criança crescerá e chamará sua mãe ditosa.

Por exemplo, vamos olhar para um problema que qualquer pessoa com mais de um filho terá de enfrentar. Tommy e Billy estão brincando juntos quando de repente uma briga surge acerca de um determinado brinquedo. O pai típico chegará ao local e expressará aquela sabedoria parental cuidadosamente pensada, perguntando: "Quem estava com ele primeiro?" Depois de idas e vindas, com a mãe brincando de detetive por alguns minutos, Tommy e Billy, finalmente, concordam que Billy estava, de fato, com o brinquedo primeiro. Então, a mãe gentilmente insiste que Tommy o devolva para Billy.

Tedd Tripp explica o problema desse tipo de reação:

> Essa reação deixa escapar os problemas do coração. "Quem estava com ele primeiro?" é uma questão de justiça. A justiça opera a favor da criança que é mais rápida para pegar o brinque-

> do, para começo de conversa. Se olharmos para essa situação em termos do coração, as questões mudam. Ambas as crianças estão mostrando dureza de coração. Ambas estão sendo egoístas. Ambas estão dizendo: "Eu não me importo com a sua felicidade. Só estou preocupado comigo mesmo. Eu quero esse brinquedo. Eu o conseguirei e serei feliz, independentemente do que isso signifique para você". Em termos de questões do coração, você tem dois filhos pecaminosos. Duas crianças preferindo a si mesmas antes do outro. Duas crianças que estão quebrando a lei de Deus.[1]

Todas as condutas estão ligadas a uma atitude particular do coração. Nesse caso, o egoísmo está ligado ao coração, e esse pecado leva à conduta externa.

A Bíblia apresenta instruções exatas aos pais sobre o que eles deveriam fazer nessa situação em particular? Não. Eu não alego ter um plano de ação bíblico detalhado que me diz como resolver todos os problemas. Eu gostaria de ter. Mas Deus nos deu Sua Palavra e espera que nós a usemos na educação de nossos filhos. Assim, em situações como essas, devemos orar e aplicar a Palavra de Deus da melhor maneira que pudermos. Meu objetivo é usar as Escrituras para ensinar, repreender, corrigir e instruir na justiça. A Segunda Epístola de, Pedro 1.3 diz: "Pelo seu divino poder, nos têm sido doadas todas as coisas que conduzem à vida e à piedade". Ainda que um problema não seja diretamente abordado na Bíblia, ele nos deu uma comunicação aberta com ele por meio da oração. Ele nos diz em Tiago 1.5: "Se, porém, algum de vós necessita de sabedoria, peça-a a Deus, que a todos dá liberalmente e nada lhes impropera; e ser-lhe-á concedida".

Na situação do partilhar entre irmãos, eu orei e procurei nas Escrituras sobre como poderia lidar com esse tipo de conflito. Posso lhe dizer como nós lidamos com isso em nossa casa, mas não posso lhe dizer que essa é a única forma, ou até mesmo o melhor caminho. Para nossa família em particular, a forma mais prática que encontramos é abordar um problema do coração, para simplificar nosso método e para promover a paz. Como disse, ambas as crianças estão sendo egoístas, mas nós ainda tínhamos que ter um "plano de ação" que pudéssemos usar cada vez que esse tipo de situação ocorresse, a fim de promover a paz. Nós queríamos uma solução que fosse fácil para eles entenderem e colocarem em prática por conta própria. Então, chegamos à regra de que não é apenas egoísta, mas é rude pegar ou até mesmo pedir alguma coisa que alguém esteja usando, antes que a pessoa tenha claramente terminado de usá-la.

Aqui está como a regra funciona em nossa casa. Suponha que o Wesley esteja brincando com um brinquedo. Quando a Alex era mais nova, se ela o quisesse, ela apenas tentava tirá-lo. Agora que é mais velha, pode pedir educadamente: "Wesley, será que eu posso brincar com aquele brinquedo agora?" Se ela tenta tomar o brinquedo, costumo reagir com algo deste tipo:

"Querida, o Wesley está com esse brinquedo agora. Você acha que ele está gostando de brincar com ele?" "Sim, senhora." "Você acha que o faria feliz ou triste, se você o levasse embora?" "Triste." "Será que você gosta de deixar seu irmão triste?" "Não, senhora." "Você acha que seria gentil ou rude tentar tirar algo do qual ele está gostando?" "Rude." "É isso mesmo, Alex, e *o amor não é rude*. Quando o Wesley tiver terminado de brincar completamente com ele e largá-lo, então você pode pedir por ele." Nós não estamos apenas educando seus corações, mas também preparando-os para a vida adulta. Esse é o mesmo comportamento que eu esperaria de amigos ou irmãos adultos. Veja isso desta maneira: se eu estivesse sentada à mesa do lado oposto ao seu, e alguém me desse algumas fotos para olhar, nas quais você também estivesse interessada, você esperaria para pedir por elas até que eu tivesse terminado ou pediria para pegá-las quando eu tivesse apenas começado a gostar de vê-las? A maioria de nós concordaria que seria *rude* pedir por elas antes de eu ter terminado. A Primeira Epístola aos Coríntios 13.5 diz: "*[O amor] não se conduz inconvenientemente*". Então, nesses tipos de situações, tenho encontrado grandes oportunidades de trabalhar com "colocar para fora" o ser egoísta e rude e "colocar para dentro" uma atitude de amor e bondade. Todas essas são questões do coração que *são* abordadas na Palavra de Deus.

Você talvez esteja pensando: "Mas o que acontece com a outra criança? Ela está sendo egoísta também". Na situação do partilhar entre irmãos, descobri que ter uma regra simples e compreensível que seja fácil de seguir promove a paz. E, para o bem da minha própria sanidade, meu objetivo é promover a paz. Eu transformo isso em uma questão de obediência ao impor essa regra, e então sou capaz de trabalhar com uma criança de cada vez. Acredite em mim, o pecado eventualmente se tornará evidente na *outra* criança, dando-me a oportunidade de trabalhar com o egoísmo e a rudeza que estão ligados ao *seu* coração.

Seu primeiro objetivo na correção não deve ser o de dizer aos seus filhos como você se sente sobre o que eles fizeram ou disseram, mas extrair a causa de tal comportamento. Você consegue ver como isso funcionou no cenário do brinquedo? Em vez de perguntar: "Quem estava com ele primeiro?", tentei extrair as atitudes do coração por meio de perguntas relacionadas a ele. Visto que a Escritura diz que é a partir da abundância do coração que a boca fala, você deve ajudá-los a entender o que está acontecendo dentro deles.

A fim de compreender o problema no coração do seu filho, você precisa olhar para o mundo através dos olhos dele, que é quando a comunicação entra. Olhar para as questões internas, em vez do comportamento externo apenas, permitirá que você saiba quais aspectos salutares da Palavra de Deus são apropriados para a conversa particular.

Desenvolva as suas habilidades em investigar o coração

A fim de ajudar seus filhos a compreender o que está em seus corações, você precisa desenvolver suas habilidades em investigar o coração.

Você deve aprender a ajudar seus filhos a expressar o que estão pensando.

Você deve aprender a ajudar seus filhos a expressar o que estão sentindo.

Você deve aprender a como discernir problemas do coração de ações e palavras.

Extrair os problemas do coração não é uma tarefa fácil. É preciso muita prática para se tornar um hábil investigador do coração. Provérbios 20.5 diz: "Como águas profundas, são os propósitos do coração do homem, mas o homem de inteligência sabe descobri-los".

Nosso objetivo em sondar o coração da criança é trazê-la à avaliação sóbria de si mesma como uma pecadora, ajudá-la a reconhecer sua necessidade de Cristo, e ensiná-la a agir, pensar e ser motivada como um cristão. Não é tão difícil ensinar nossos filhos a *agir* como cristãos. Nós teremos realmente conseguido realizar alguma coisa quando os ensinarmos a *pensar* como cristãos. Pensar como um cristão os ajudará a crescer em sabedoria e os preparará para governar seu próprio comportamento de uma maneira que glorifique a Deus. Nós os encorajamos a crescer em sabedoria ao discutir a perspectiva de Deus em todas as situações. As crianças não conseguem fazer isso sem nossa ajuda parental.

Como podemos desenvolver as habilidades de investigação do coração? Seguindo o exemplo do Rei dos corações. Jesus Cristo é o mestre da sondagem do coração. Ao longo das Escrituras, ele nos apresentou exemplo após exemplo como chegar ao cerne da questão. Ele foi capaz de olhar palavras e comportamentos passados e extrair os problemas do coração. Como Ele fez isso? Em vez de apenas dizer a alguém o que era certo e errado, Jesus muitas vezes usou questões que instigavam o pensamento. Para que as pessoas pudessem responder a essas questões, precisavam avaliar a si mesmos. Ele perguntava de tal maneira que era necessário retirar o foco das circunstâncias ao seu redor e colocar sobre o pecado em seus próprios corações.

Nós todos sabemos que quando se descobre algo por conta própria, está-se menos propenso a esquecer do que se alguém lhe disser a resposta. É como resolver problemas de matemática, nós aprendemos e entendemos mais ao descobrirmos por conta própria. Se alguém nos dá a resposta, nós nos tornamos dependentes deles para resolver futuros problemas para nós. Mas, se somos obrigados a resolver o problema por conta própria, estamos melhores equipados para solucionar outros problemas, extraindo do conhecimento pessoal adquirido e aplicando o que aprendemos a outros problemas também.

Da mesma forma, quando seu filho aprende a reconhecer o que está em seu próprio coração, ele está mais propenso a demonstrar reações piedosas por conta própria. Ao fazer isso, ele está crescendo em sabedoria. Mas quando você simplesmente lhe diz qual é o seu problema e o que ele deveria fazer sobre isso, você está impedindo-o de aprender a pensar como um cristão, e ele se tornará deficiente em discernir os problemas do seu próprio coração.

Ensinando filhos a pensarem como cristãos

Seguindo o exemplo de Jesus, podemos fazer com que nossos filhos pensem como cristãos, fazendo-lhes perguntas que os orientem a ver as situações da perspectiva de Deus. Permita-me levá-la por meio de um cenário que demonstrará como podemos sondar os seus corações e ensiná-los a pensar como cristãos.

Há alguns meses, eu estava visitando minha amiga Lisa. Seus filhos, Josh e Lindsey, estavam almoçando com meus filhos na sala de jantar. Lisa e eu estávamos comendo na cozinha, de forma que não conseguíamos enxergá-los. E, justamente quando estávamos começando a nos gabar sobre o quanto as crianças estavam se dando bem, a nossa conversa foi interrompida por um grito aterrorizante da Lindsey. Quando chegamos ao local, descobrimos que Lindsey estava chorando porque Josh, seu irmão, havia batido nela. No início, a conversa foi assim:

> Mãe: "Por que você bateu na sua irmã?" Josh: "Eu não sei." Mãe (irritada): "Bem, o que você quer dizer com você não sabe?" Assim como um cão perseguindo o seu rabo, a conversa continuou e continuou. Esse é um cenário típico. O problema com essa linha de raciocínio é que, quando a única questão colocada é "Por que você fez isso?", nada é alcançado em termos de ensinar o coração.

Qual é o problema com a resposta de Josh? Será que Josh está dizendo: "Eu não sei", por que está apenas teimosamente se recusando a falar? Muito provavelmente, Josh não está expressando desobediência deliberada ao não explicar suas ações. Ele está simplesmente sendo questionado com perguntas que ele não consegue responder. Devido à sua idade e inexperiência com questões de discernimento do próprio coração, ele não compreende completamente por que exatamente bateu em sua irmã. Ele sabe que foi errado porque a mãe diz que foi errado, e Deus deu a ele uma consciência, mas ele não entende realmente por que agiu contra sua própria consciência e infligiu esse golpe doloroso em sua preciosa irmãzinha.

A tragédia nessas situações é que a mãe não enxerga seu papel de orientar o filho a compreender seu próprio coração. E então, ele não apenas é punido por bater na irmã, mas também por não explicar verbalmente por que fez isso. A instrução do coração foi completamente deixada de fora.

Quando usada sozinha, a pergunta "Por que você..." raramente funciona com crianças, ou mesmo com adultos. Meu marido pode me perguntar por que eu fiz alguma coisa, e eu ainda responder com "eu não sei". Agora, não me interpretem mal – não há problema em perguntar ao seu filho por que ele fez alguma coisa, algumas vezes você pode até obter uma resposta adequada. Mas, se você lhe perguntar por que ele fez alguma coisa, e ele responder com o sempre tão comum "eu não sei", não deixe a questão apenas por aí. Ajude-o a cavar mais fundo em seu coração para encontrar a resposta.

Nesse momento, Lisa e eu juntamos nossas cabeças e começamos a fazer perguntas produtivas. Aqui estão alguns exemplos de perguntas para investigar o coração que podem ser feitas em tais situações:

"O que você estava sentindo quando bateu na sua irmã?" Muitas vezes, o sentimento é a raiva.

"O que sua irmã fez para deixar você com raiva?" Após ouvi-lo, descobrimos que Josh estava contando uma piada para todos na mesa e, em vez de ouvir respeitosamente e permitir a Josh a diversão de contá-la, Lindsey continuou interrompendo rudemente, tentando roubar a diversão de seu irmão ao contar a piada ela mesma. Então, como uma resposta à sua rudeza, Josh ficou irritado e lhe deu um soco bem dado!

"Bater na sua irmã parece ter feito as coisas ficarem melhor ou pior entre vocês dois?" Essa questão o ajudou a reconhecer que ele ainda estava irritado, e Lindsey chorando de dor.

"Qual era o problema com o que Lindsey estava fazendo com você?" Embora Josh não devesse ter atingido-a, nós não queríamos negar o fato de que *haviam* pecado contra Josh. Nós o fizemos dizer o que Lindsey estava fazendo de errado e por que aquilo estava errado. Nós queríamos ensiná-lo a identificar as ações de sua irmã (e a tentação dele) biblicamente. Há muitos versículos que poderiam ser aplicados ao que Lindsey estava fazendo. Um seria Provérbios 6.19, que diz que uma das sete coisas que Deus odeia é aquele "que semeia contendas entre irmãos". Isso era definitivamente o que ela estava fazendo. Quanto mais irritado ele ficava, mais ela tinha prazer em interrompê-lo.

Nesse ponto, nós paramos e perguntamos a Lindsey: "Querida, você estava promovendo a paz ao interromper a piada de seu irmão ou você estava criando problemas?" Nós concentramos a atenção deles sobre o que Deus diz acerca de criar problemas. Estávamos lhes mostrando a situação da perspectiva de Deus.

"Sim, Josh, Lindsey estava pecando contra você, mas de que outras maneiras você *poderia* ter respondido?" Cada resposta que Josh deu lhe permitiu entender melhor seu próprio coração e sua própria necessidade da graça e da redenção de Cristo. E cada pergunta respondida nos deu a oportunidade de usar a Palavra de Deus para instruí-lo de acordo com sua luta. Moral da história: Josh ficou irritado com a irmã e pagou o mal com o mal.

Embora muitos desses exemplos digam respeito a crianças mais novas, os mesmos princípios bíblicos se aplicam a crianças mais velhas. A Palavra de Deus é proveitosa e benéfica para todas as idades. A Palavra de Deus nunca muda. É apenas a forma como o pecado se manifesta que muda conforme as crianças crescem. Egoísmo, descontentamento, desobediência e outros pecados podem se manifestar de forma diferente com as crianças mais velhas, mas a Palavra de Deus é sempre a mesma. Portanto, deve ser sempre a Palavra de Deus que usamos para educá-los nos caminhos do Senhor.

Em todos os conflitos, devemos iniciar nosso ensino, procurando entender a natureza do conflito interno que se expressou no comportamento exterior. Para investigar seus corações, ensiná-los a pensar como cristãos e ajudá-los a discernir os problemas de seus corações, existem três questões pelas quais devemos conduzi-los.

Qual era a natureza da tentação? Era raiva, idolatria, inveja? Era egoísta ou contenciosa?

Como ele reagiu à tentação? Ele respondeu à tentação de maneira a satisfazer Deus? O que havia de errado com a maneira como ele reagiu?

De que outras maneiras ele poderia ter reagido que teriam sido melhores?

De que outras maneiras ele poderia ter reagido que refletiriam fidelidade?

Capítulo 4

Instruindo os filhos na justiça

É importante repreender nossos filhos quando eles agem errado, mas é igualmente importante, se não mais importante, fazê-los caminhar por meio do que é correto – colocar para fora, bem como colocar para dentro. Efésios 4.22-24 diz: "No sentido de que, quanto ao trato passado, vos despojeis do velho homem, que se corrompe segundo as concupiscências do engano, e vos renoveis no espírito do vosso entendimento, e vos revistais do novo homem, criado segundo Deus, em justiça e retidão procedentes da verdade". Basicamente, devemos parar de buscar os desejos pecaminosos (paixões do velho homem), indo após desejos santos (paixões do novo homem). Quando aceitamos Cristo como nosso Senhor e Salvador, somos feitos novos nele. Devemos colocar para fora o nosso velho homem, a nossa vida antes de aceitarmos Jesus, e colocar para dentro nosso novo homem, nossa nova vida como um filho de Deus (veja o Apêndice A).

Como podemos fazer isso com crianças? Primeiro, trabalhe com o princípio de como teria sido uma reação bíblica.

Segundo, conduza a criança por ela. Eu não consigo enfatizar o quão vital isso é na educação. A Primeira Epístola aos Coríntios 10.13 diz que, quando você é tentado, "Deus é fiel e não permitirá que sejais tentados além das vossas forças; pelo contrário, juntamente com a tentação, vos proverá livramento, de sorte que a possais suportar". Quando corrigimos nossos filhos por um comportamento errado, mas deixamos de ensiná-los no comportamento justo, nós os exasperamos, porque não estamos lhes fornecendo uma rota alternativa. Esse tipo de negligência os despertará à ira. Nunca haverá uma situação em que isso não se aplique. Como regra geral, sempre que você corrigir seu filho por um comportamento errado, conduza-o pelo comportamento correto. É assim que ensinamos nossos filhos a andar na justiça de Cristo. Isso é o que a Bíblia quer dizer com "instruí-los na justiça".

Vamos voltar ao cenário do irmão batendo na irmã dele. Josh bateu na Lindsey porque ela o tinha irritado. Mas a Escritura diz: "A ira do homem não produz a justiça de Deus" (Tg. 1.20). Josh pecaminosamente despejou a raiva dele em Lindsey e então prosseguiu para contar à mãe o que Lindsey estava fazendo. Josh precisava tomar a rota alternativa de Mateus 18.

Em Mateus 18, a Palavra de Deus nos fornece instruções de como lidar de forma justa com um conflito como esse. Mateus 18.15 diz: "Se teu irmão pecar [contra ti], vai arguí-lo entre ti e ele só". Aqui vemos que ser um "dedo-duro" é errado. Josh deveria ter sido instruído a primeiro tentar resolver o assunto com Lindsey em privado. Josh poderia ter promovido a paz, dizendo a Lindsey, com uma voz calma, gentil e autocontrolada, que ela o estava ofendendo ao interromper a piada dele. Isso dá a oportunidade ao infrator de se arrepender antes de ser apresentado ao juiz (Mãe).

Se o infrator se arrepende, então Efésios 4.32 diz para a criança ofendida conceder perdão. Se funcionar dessa maneira, então a mãe nunca deve saber nada sobre isso. O seu objetivo é que eles ganhem a experiência de resolver o conflito de acordo com a Palavra de Deus por conta própria. Essa é a forma como eles aprendem a governar o seu próprio comportamento de uma maneira bíblica.

Mas, e se o ofensor não se arrepende? Então a criança ofendida deve acertar a outra bem forte na cabeça! Não, eu estou brincando. No versículo seguinte, Mateus 18.16, diz: "Se, porém, não te ouvir, toma ainda contigo uma ou duas pessoas, para que, pelo depoimento de duas ou três testemunhas, toda palavra se estabeleça". Se outros estiverem presentes, a criança ofendida pode recorrer a eles para confirmar a ofensa. No entanto, na maioria dos casos envolvendo crianças, a única opção será passar direto para Mateus 18.17a: "Se ele não os atender, dize-o à igreja", que é a autoridade, ou adaptado para a casa, a autoridade seriam os pais. Então, se Lindsey rejeitasse a repreensão de seu irmão, em vez de bater nela (pagando mal com mal), Josh poderia ter tomado a rota alternativa e trazido o assunto à mãe.

Nesse ponto, a mãe disse: "Josh, se você tivesse respondido às táticas pecaminosas de Lindsey com autocontrole e de uma maneira bíblica, você não estaria recebendo uma palmada. Lindsey seria a única com problemas". No entanto, Josh não escolheu a rota alternativa e sofreu as consequências.

Entendendo os problemas do coração

Permita-me dar mais um exemplo de como é importante instruir os filhos em justiça e como você pode conduzi-los mediante esse processo. Um tempo atrás, Wesley estava passando por um momento em que intencionalmente provocava a irmã. Ele ficava de quatro como um leão, rosnando, rugindo e babando, enquanto corria atrás dela (Eu não sei por que razão ela não gostaria disso, mas ela não gostou). Ele também aparecia com outras "brincadeiras" que eram divertidas à custa dela. Eu soava como um disco quebrado o dia inteiro! "Wesley, pare!" "Wesley, saia!" "Wesley, Alex não gosta disso!" Ele parava, mas então passava adiante para algo igualmente irritante. A resposta verbal dele para mim era a mesma o tempo todo: "Sim, senhora, mas eu estava apenas brincando com ela". Tornou-se um ciclo interminável ao longo do dia e todos os dias: "Wesley, pare!" "Sim, senhora, mas eu estava apenas brincando com ela." "Wesley, saia!" "Sim, senhora, mas eu estava apenas brincando com ela." "Wesley, ela não gosta disso!" "Sim, senhora, mas eu estava apenas brincando com ela." O problema era que nenhum de nós estava olhando para isso como um problema do coração. E a razão pela qual o problema continuou durante todo o dia e se manifestou de formas diferentes é porque o comportamento exterior era a única coisa em vista. Ele obedecia e parava com a atitude em particular que eu lhe havia dito para parar, mas ele simplesmente mudava para um comportamento semelhante. Eu percebi a característica comum de cada comportamento, mas ele não tinha a habilidade de avaliar o que estava em seu coração; por isso, ele não conseguia discernir o que estava errado no que estava fazendo. Eu havia falhado em investigar o coração dele. Eu havia falhado em extrair o pecado que o estava levando a constantemente provocar a irmã, e eu fiquei frustrada de lhe dizer vez após vez "a resposta" (para parar de provocá-la!). Mas esse era o problema: eu continuei lhe dando a resposta, sem ensiná-lo por que essa era a resposta. Se ele entendesse o próprio pecado e se arrependesse disso, seria capaz de governar o próprio comportamento, em vez de eu sempre ter que lhe dizer para parar.

Eventualmente, percebi que tinha que trabalhar em sentido inverso, do comportamento para o coração. Cada vez que ele começava a provocá-la, ele passava por uma sequência muito simples de questionamento.

Mãe: Wesley, a julgar pelo seu riso, você parece estar tendo um ótimo momento rosnando e correndo atrás de sua irmã. Você está se divertindo tanto quanto parece que está? Wesley: (levantando uma sobrancelha com curiosidade) Sim, senhora.

Mãe: A Alex está se divertindo tanto quanto você está?

Wesley: (se contorcendo um pouco) Bem, não, senhora.

Mãe: Diga-me, o que a Alex está fazendo?

Wesley: (pausando por um momento e olhando para baixo) Ela está gritando e chorando.

Mãe: Querido, você está se alegrando com o sofrimento da Alex? Porque o amor não se alegra com o mal (1 Coríntios 13. 6).

Wesley: (com um olhar de compreensão seguido por um olhar de tristeza) Alex, você me perdoa por fazer você chorar?

Eu não vou dizer que isso nunca aconteceu de novo, mas houve uma melhora enorme. Quando isso acontecia, eu o guiava mostrando o que estava em seu coração. E houve muitas vezes em que ele começou a provocá-la e, assim que ela se entristeceu, ele pediu desculpas e parou o comportamento por conta própria. Ele foi capaz de aprender a partir do entendimento que ele obteve avaliando o próprio coração. É um processo, mas estou vendo o fruto de ele estar aprendendo a governar o próprio comportamento por meio da compreensão de seu próprio coração. Agora que eu tinha atingido o coração dele, meu próximo objetivo era mostrar aos dois como o conflito poderia ter sido tratado biblicamente e sem a necessidade de um dedo-duro. Eu realizei esse objetivo por meio do uso de dramatização.

A importância da dramatização

A dramatização é uma ferramenta extremamente eficaz em ensinar as crianças a praticar o que aprenderam. Quando elas colocam o conhecimento adquirido em prática, ele se torna realmente parte de suas vidas. O ensinamento será mais bem afixado, porque elas aprendem a usá-lo em uma situação prática. É semelhante ao fato de que a aprendizagem de toda a teoria para um campo específico de trabalho é de muito valor, mas aprender a colocar esse conhecimento em prática só pode ser obtido realmente mediante o "treinamento de trabalho".

Deixe-me mostrar como usei a dramatização no cenário que acabei de apresentar. Embora a Alex tenha começado como a vítima nessa situação, ela pecou na forma como reagiu. Enquanto ela estava sendo perseguida no corredor pelo leão feroz, ela chorou e levou o leão direto aos pés da mamãe. A voz dela foi amplificada como se eu estivesse do outro lado da casa, em vez de estar bem em frente a ela. "O Wesley está sendo ruim para miiiiiiiiim!" Ela tinha se tornado o que a Bíblia chama de fofoqueiro, ou como dizemos, um dedo-duro, e parecia que ela gostaria bastante de ver o irmão em sérios apuros.

Aqui é novamente onde você poderia ensiná-los a aplicar Mateus 18. Mais uma vez, eu simplesmente usei perguntas para sondar o seu coração. "Alex, querida, você já pediu ao seu irmão em particular para parar de perseguir você?" Com um rosto triste e um lábio trêmulo, ela respondeu: "Não, senhora". "Será que você se alegra em ver seu irmão ficar em apuros?" Ela parecia estar considerando essa questão e se inclinando para o "sim" final. Lembrei-lhe do que Deus diz: "O que se alegra da calamidade não ficará impune" (Pv. 17.5).

O passo seguinte foi caminhar com eles no sentido de como substituir o comportamento errado pelo comportamento certo mediante o uso de dramatização. Em vez de apenas lhe dizer o que ela deveria ter feito e deixar por isso mesmo, eu dei mais um passo adiante e a fiz colocar o ensino verbal em prática. Eu fiz os dois voltarem para onde primeiramente o leão havia começado a atacar. Eu coloquei as palavras na boca de Alex e disse: "Alex, diga ao Wesley, 'Por favor, não me persiga e nem rosne para mim'". "Agora, Wesley, você diz: 'O.k., Alex'". É isso! É simples assim!

Ao fazê-los voltar e fazer isso da maneira correta, estou instruindo-os na justiça, em vez de apenas os repreender pelo erro. Eu estou lhes dando uma rota alternativa. Eu estou ensinando-os a "colocar para fora" os desejos corruptos e enganadores e "colocar para dentro" a justiça e santidade de Deus.

Querida mãe, eu a encorajo a extrair o que está no coração de seu filho, trabalhar no sentido de como seu filho pode substituir o que é errado pelo que é certo e então fazer seu filho pôr em prática o que aprendeu. Assim é como você os instrui na justiça. Lembre-se de que isso é um processo. Os meus se tornam ativos com a instrução por uma semana e ficam muito bem com ela, em seguida, a partir do nada, agem como se nunca tivessem obtido instrução alguma – e geralmente quando estamos em público! Os dias em que nossos filhos realmente fazem contenda e nós nos tornamos fatigados de instruí-los vez após vez, podemos ser encorajados por Gálatas 6.9: "Não nos cansemos de fazer o bem, porque a seu tempo ceifaremos, se não desfalecermos".

PARTE II
COMO REPREENDER BIBLICAMENTE

Capítulo 5
Domando a língua

A língua – Deus tem muito a dizer sobre uma parte tão pequena do corpo. Ela pode ser pequena, mas é extremamente poderosa. No livro de Tiago, é comparada ao fogo. Assim como uma pequena faísca pode incendiar e destruir uma floresta inteira, os dardos inflamados da língua também podem destruir aqueles que mais amamos. No entanto, quando usada corretamente, a língua pode produzir frutos que curam, confortam e estimulam aqueles que mais amamos.

O sábio uso da língua é um componente fundamental na formação da criança. Deus ordenou dois métodos principais aos pais para educarem os filhos em sabedoria. Eles são a vara (que abordarei na parte três) e a repreensão.

Repreensão é expressar verbalmente a outra pessoa de que forma ela violou a Palavra de Deus. Provérbios 29.15 diz: "A *vara e a repreensão* dão sabedoria, mas a criança entregue a si mesma vem a envergonhar sua mãe" (grifo meu). Deus nos deu uma abordagem equilibrada para o ensinamento de nossos filhos. A repreensão envolve o uso correto da língua. Vemos esse equilíbrio novamente em Efésios 6.4, que diz: "E vós, pais, não provoqueis vossos filhos à ira, mas criai-os *na disciplina e na admoestação* do Senhor" (grifo meu). A disciplina e a admoestação em Efésios correspondem à passagem de Provérbios, que ensina os pais a disciplinar com a vara e a repreensão. O versículo de Efésios também nos adverte que, se nós não usarmos o equilíbrio ordenado por Deus, nós provocaremos os nossos filhos à ira.

Alguém uma vez disse: "Você pode bater na criança até que o insensato saia dela, mas você não pode bater até que a sabedoria entre". O projeto de Deus para a disciplina realiza ambos. Ele expulsa a insensatez e a substitui por sabedoria. Portanto, nunca se deve usar a vara sem a repreensão. A disciplina que não é equilibrada utilizando as duas, certamente falhará. O propósito da disciplina é ensinar aos filhos a Palavra de Deus, como eles violaram essa Palavra e como mudar. Castigar pelo erro sem lhes ensinar o certo pode exasperá-los, provocá-los ao medo e à ira, e não resultar em mudança interior. O medo e a ira causados por pais que batem, mas falham em instruir adequadamente seus filhos, podem ser ilustrados na instrução de um filhote de cachorro.

Você decide que quer um filhote de cachorro, então, você escolhe o adorável companheiro quando ele está com apenas seis semanas de idade. Ele é tão pequeno e fofo, e seu coração se enche de amor e expectativas por ele enquanto você o leva para casa. Ele será o cachorro perfeito, porque será cercado com tanto amor.

Ele entra em sua casa e, por um tempo, você simplesmente não consegue parar de segurá-lo a todo instante. Mas eventualmente a novidade acaba, e você finalmente o coloca no chão, momento em que ele imediatamente mostra sua gratidão. Ele urina no chão, defeca nos tapetes, morde o sofá, late no meio da noite e faz furos em suas meias. O sentimento aconchegante que você tinha ao olhar em seus olhos foi substituído agora por frustração e raiva. Você decide iniciar o processo de treinamento e começar com a parte das "necessidades no lugar certo". Então, você o observa bem de perto e, no minuto em que ele levanta aquela perna para se aliviar, você bate nele e lhe diz "não". Isso é tudo o que você faz: você bate nele e lhe diz "não". Você o repreendeu e o disciplinou pelo erro.

O que ele fará na próxima vez que sentir vontade? Ele se retirará sorrateiramente, fará o que tem que fazer e, então, se encolherá enquanto espera que você o encontre. Eventualmente, você encontra a bagunça, retira-o do canto dele, esfrega o seu focinho ali e, em seguida, bate nele novamente. Na vez seguinte, ele está com mais medo ainda. Ele procura por um esconderijo melhor e se encolhe debaixo da cama à espera da sua ira. E você se pergunta o que aconteceu com todo aquele carinho que vocês costumavam ter e se questiona por que ele não deseja mais ir procurá-la e afagar-se em seu colo. Você sente falta do amor carinhoso que vocês compartilharam uma vez. Mas fica ainda pior. O tempo passa e, agora quando você o encontra, após ele ter deixado outra bagunça, ele não está mais encolhido em um canto, ele está mostrando ousadamente os dentes e rosnando para você. Você chega até ele, e ele o abocanha com raiva.

É o mesmo com muitos filhos cujos pais lhes bateram pelo erro, mas deixaram de instruí-los na justiça. Eles crescem irados, amargos e rebeldes. Não é de se espantar que eles se tornem mais agressivos e direcionem a raiva para os pais.

A instrução adequada para o cachorro teria sido bater nele pelo erro, mas lhe mostrar o certo, colocando-o para fora imediatamente, fornecendo-lhe uma rota alternativa. A disciplina sem instrução exasperará e provocará à ira. Disciplina e instrução é educar sem exasperar.

Como afirmei anteriormente, o propósito de disciplinar nossos filhos é ensinar-lhes a Palavra de Deus. É ensiná-los a mudar. Para ensinar, repreender, corrigir e instruir na justiça, devemos usar a Palavra de Deus. A Palavra de Deus instrui a alma a partir de uma perspectiva eterna.

Em *Os deveres dos pais*, J. C. Ryle diz: "Instrua continuamente com este pensamento diante de seus olhos: a alma do seu filho é a primeira coisa a ser considerada. Em cada decisão que você tomar acerca deles, em todo plano, esquema e arranjo que lhes disser respeito, não deixe de fora esta pergunta poderosa: 'Como isso afetará as suas almas?'". Nosso objetivo final em tudo deve ser apontá-los para Cristo.

Ensinando no contexto do momento

As crianças aprendem ensinamentos gerais da Palavra de Deus quando estão na igreja, na Escola Dominical e em outros tipos de estudos bíblicos. Isso é ótimo, mas não deixe essa ser toda a extensão do treinamento bíblico. Ao lhes ensinar com o objetivo de instruí-los, não lhes ensine apenas o que a Bíblia diz, mas o que a Bíblia diz acerca da luta particular que eles estão tendo. Ensine-lhes o que a Bíblia diz sobre os problemas e preocupações que estão enfrentando. O ensino aplicado ao momento e à situação é um ensino que realmente beneficiará a criança. Os maiores benefícios surgem ao se ensinar enquanto as coisas acontecem, ou seja, no "contexto do momento".

O contexto do momento é a hora mais natural para seu filho aprender e crescer. Muitas vezes, tentamos forçar um momento de aprendizado antes que a criança esteja pronta para aprender uma lição em particular. Eu tenho aprendido ao longo dos anos que deveria ensinar de acordo com a necessidade de aprender do meu filho.

Essa lição foi esclarecida para mim em uma Páscoa. Pelos últimos anos, meu marido e eu assistimos à peça da Paixão de Cristo em Atlanta, um drama musical que retrata a vida de Cristo. Todo ano, sinto que o meu coração é renovado, meu amor por Jesus é aprofundado, e minha paixão pela Sua Palavra é atiçada. Este ano em particular era para ser ainda mais especial, porque levaríamos meu filho de quase oito anos, Wesley. Por meses, orei para que Deus usasse essa apresentação para tocar o coração dele com uma compreensão de quem exatamente Jesus é o que Ele tem feito por ele. Eu orei para que Deus se revelasse a Wesley de um modo novo e para que o Wesley realmente entregasse a vida dele a Jesus.

O dia finalmente chegou e me sentei com o meu filho em frente ao centro do palco, na segunda fileira. Meu coração começou a bater rapidamente com a expectativa do que aconteceria no pequeno coração de Wesley hoje. Ao longo da apresentação, sussurrei orações a Deus, pedindo a Ele para dar entendimento ao Wesley. Posso dizer com certeza que passei mais tempo observando o rosto dele e tentando ler seus pensamentos do que assistindo à peça.

Então, chegou a cena em que Jesus caminha sobre a água e acalma a tempestade. Os ventos sopraram fortemente, o barco balançou ferozmente e as ondas quebraram violentamente contra o barco. Wesley levantou as sobrancelhas e sua expressão se intensificou. De repente, ele se inclinou para me fazer uma pergunta e eu pensei: "Ah, que bom! Esta será uma grande oportunidade para eu explicar o incrível poder de Jesus!". Ao colocar a mão em volta do meu ouvido, ele sussurrou: "Mãe, é um monte de sacos de lixo ou uma grande lona que eles estão usando para fazer aquelas ondas?" Eu percebi naquele momento que estava me segurando muito forte ao seu coração. Eu estava tentando forçar um momento de aprendizado. Enquanto eu ria, deixando minhas expectativas de lado, sussurrei uma nova oração. Eu orei para que estivesse pronta e disposta a plantar as sementes, mas que eu deixaria o momento e a colheita para Deus.

Benefícios do ensino no contexto do momento

Há grandes benefícios para os filhos cujos pais aprenderam a ensinar no contexto do momento. Aqui estão alguns desses benefícios:

1. As crianças aprendem a como se tornar "praticantes" da Palavra, em vez de apenas "ouvintes".
2. As crianças compreendem melhor quando aprendem em uma situação prática.
3. As crianças ganham as habilidades de consubstanciar a Palavra de Deus na vida diária.
4. As crianças estão mais bem equipadas para obedecer a Deus.

Como é ensinar no contexto do momento? Quando o Johnny estiver provocando o irmão, ensine-lhe que uma das sete coisas que Deus odeia é "o que semeia contendas entre irmãos" (Pv. 6.19).Você pode dizer: "Criar problemas é tolice, querido, mas quando você promove a paz, você é sábio (Tg. 3.17). Johnny, você quer ser tolo ou sábio?" Quando a Suzie responder com raiva e gritar com a amiga, ensine-lhe a partir de Provérbios 15.1 que "a resposta branda desvia o furor, mas a palavra dura suscita a ira". Você pode dizer: "Querida, você pode tentar de novo e desta vez usar um tom suave de voz?" Quando o Timmy tentar fazer com que o irmão entre em apuros ao dedurá-lo, ensine-lhe que "o que se alegra da calamidade não ficará impune" (Pv. 17.5). Você também pode lembrá-lo de que "o amor não se alegra com a injustiça" (1Co. 13.6). E é tão importante que você não apenas lhe diga o que está errado com o comportamento dele, mas como ele pode torná-lo correto. Assim, para instruí-lo no que ele pode fazer para substituir a tentativa de colocar o seu irmão em apuros, você pode lhe mostrar que Hebreus 10.24 diz que devemos "nos considerar também uns aos outros, para nos estimularmos ao amor e às boas obras".

Quando as crianças se comportam pecaminosamente, use a Palavra de Deus para instruí-las verbalmente na justiça e, então, reforce essa instrução fazendo com que elas a coloquem em prática naquele exato momento. Portanto, não basta dizer à criança que está tentando colocar seu irmão em apuros, que ela deveria estar estimulando seu irmão em direção ao amor e às boas obras, mas a obrigue a voltar e realmente fazê-lo. Pergunte a ela: "Timmy, em vez de vir e me dizer que seu irmão está pulando em sua cama, o que você poderia ter dito para estimulá-lo?" O Timmy talvez diga: "Eu poderia ter dito que ele não deve pular em sua cama, e que eu não quero que ele entre em apuros". Ou talvez ele diga: "Eu poderia ter dito a ele que a mamãe nos disse para não pular na cama porque podemos nos machucar, por isso é melhor descer". Qualquer coisa parecida com isso seria boa. E o mais importante, fazer Timmy voltar e dizer essas palavras a seu irmão, mesmo se você tiver que ir com ele e fazê-los reencenar tudo. Dessa forma, Timmy está colocando a sua instrução em prática, que não apenas lhe dará melhor entendimento de como ela funciona, mas também o equipará para situações semelhantes no futuro. Isso é ensinar no contexto do momento. É ensinar com o propósito de agir. É ensiná-los a aplicar a Palavra de Deus na vida diária.

Tenha em mente que ensinar no contexto do momento é algo que terá que fazer vez após vez. Em outras palavras, você não pode ter expectativas de ensiná-los a aplicar um princípio bíblico e depois esperar que eles automaticamente o façam. Assim como muitas coisas, é preciso prática. Você talvez ache que isso soa como um monte de tempo e trabalho, e está absolutamente certa! Instruir nossos filhos é um processo. Continue a semear e lembre-se da lei da colheita. Você colhe o que planta.

Instruindo na piedade[1]

Quando eu ainda era uma menina, calcei um par de patins. Eu me levantei e imediatamente caí. Depois de um tempo, porém, eu conseguia patinar por vários metros antes de cair. Aos 15 anos, após anos e mais anos de prática, eu conseguia patinar sem esforço maior do que precisava para andar. A patinação não vem naturalmente, mas por meio da disciplina de praticar vez após vez, tornou-se minha segunda natureza. Embora essa seja uma ilustração física, funciona da mesma maneira espiritualmente. Quando fazemos nossos filhos exercitarem a sabedoria espiritual da Palavra de Deus vez após vez, ela se tornará como uma segunda natureza para eles.

Paulo disse a Timóteo, em 1 Timóteo 4.7, para se exercitar na piedade. Paulo ainda comparou o processo ao treinamento físico no versículo 8. É interessante que a palavra grega para a disciplina é *gumnazo*, da qual nós temos a palavra ginásio. *Gumnazo* significa exercitar ou treinar. A ideia é que, quanto mais treinamos, mais bem equipados nos tornamos para realizar nossa tarefa. Da mesma forma que a patinação. Através do exercício e treinamento (*gumnazo*), o que antes parecia impossível para mim tornou-se uma tarefa fácil. Isso é exatamente o que acontece quando exercitamos ou treinamos nossos filhos (e a nós mesmos) na piedade. O que antes parecia impossível torna-se como uma segunda natureza. Lou Priolo chama esse método de treinamento de *O Princípio Gumnazo* e apresenta uma excelente ilustração de como ele funciona.

O Princípio *Gumnazo* pode ser ilustrado pelo exemplo de um ferreiro que está treinando um aprendiz. A aprendizagem não é tão popular hoje quanto costumava ser durante os primeiros momentos de nossa nação, quando Benjamin Franklin, por exemplo, serviu como um aprendiz de seu irmão mais velho. Então, não era incomum para o aprendiz viver com o mestre artesão, ser provisionado por ele e subordinado a ele. Um aprendizado era um treinamento completo e intenso que normalmente durava por vários anos. Basicamente, era um treinamento pela prática, prática e mais prática, até que o aprendiz estivesse fazendo certo. O mestre artesão provavelmente explicava primeiro e demonstrava com o equipamento. Então ele permitia que o aprendiz o observasse passar pelo processo de fazer uma ferradura, desde acender a forja até calçar o casco do cavalo com o produto acabado, explicando cada procedimento com grande detalhamento. Após uma série de observações, o mestre artesão permitia que o aprendiz ajudasse com uma parte do procedimento. Instruindo-o, o mestre permitia que o aprendiz tentasse o procedimento. Ele o corrigia no local em que cometesse algum erro e *exigia que ele fizesse novamente até que acertasse*. O mestre talvez ficasse por trás de seu aprendiz, detendo suas mãos sobre as do aprendiz enquanto mantivessem o ferro no fogo até que tivesse o brilho exato de vermelho. Então, *mão com* mão, o mestre artesão e o aprendiz traziam rapidamente o ferro para a bigorna e, *mão com* mão, o mestre demonstrava ao aprendiz exatamente onde martelar o ferro e com que força atingi-lo. Em seguida, ele o colocava de volta no fogo e repetia até que a ferradura estivesse completa. Após alguns exercícios desse treinamento prático, o mestre estava pronto para permitir que o aprendiz tentasse o procedimento por si próprio. Ainda de pé atrás de seu aluno, ele observava o trabalho do aprendiz, considerando cada detalhe da obra. Então, assim que um erro fosse cometido, *imediatamente*, ele dizia: "Não, desta maneira". E, novamente, *detendo a sua mão* sobre a do aprendiz, ele lhe mostrava precisamente *como corrigir seu erro*.

Imagine como seria se o mestre artesão tivesse simplesmente explicado o procedimento uma única vez e, quando o aprendiz cometesse seu primeiro erro, o mestre dissesse: "Errado! Sem jantar para você esta noite. É melhor melhorar amanhã".

"Isso seria cruel, impiedoso e uma violação da educação", você diria.

No entanto, essa é a forma como muitos pais cristãos "disciplinam" seus filhos.[2]

Uma criança pode falar asperamente com seus pais, ao que estes respondem: "Isso foi desrespeitoso!" Então, a criança toma uma palmada e é levada ao quarto, e os pais acham que agiram bem porque identificaram e verbalizaram o comportamento errado da criança e lhe deram uma palmada por isso. Lou diz:

> O Princípio *Gumnazo* sustenta o fato de que você não disciplinou uma criança adequadamente até que a tenha trazido ao ponto de arrependimento, exigindo-lhe que pratique a alternativa bíblica ao seu comportamento pecaminoso... Disciplina bíblica envolve corrigir o comportamento errado praticando o comportamento correto, com a atitude certa, pelo motivo certo, até que o comportamento correto se torne um hábito.[3]

É essencial que a criança identifique o pecado e peça perdão por ser desrespeitosa, mas também é essencial que ela pratique a alternativa bíblica. Então, após repreender a criança por ser desrespeitosa e talvez castigá-la por isso, faça-a voltar à cena do crime e praticar a comunicação da maneira correta, usando as palavras e o tom de voz apropriados (e para muitas crianças, especialmente as minhas, a expressão facial apropriada!).

Imagine tentar ensinar seu filho a amarrar os sapatos sem o Princípio *Gumnazo*. Fazê-lo caminhar verbalmente pelo processo não seria suficiente. Você tem que demonstrar fisicamente à criança exatamente como a tarefa é feita e, então, exigir que a criança pratique por si mesma. Como Lou Priolo diz, em *O coração da ira*: "Se o Princípio *Gumnazo* é vital para o ensino de tais tarefas relativamente simples e temporais, quanto mais para o ensino da aplicação da verdade eterna e do desenvolvimento do caráter de Cristo".[4]

Capítulo 6

O poder da Palavra de Deus

A razão pela qual a Escritura é para ser utilizada na instrução dos filhos é encontrada em 2 Timóteo 3.16: "Toda a Escritura é inspirada por Deus e útil para o ensino, para a repreensão, para a correção, para a educação na justiça". O Espírito Santo falando através da Palavra de Deus mostrará o erro, convencerá o culpado e promoverá a justiça. A fim de que os filhos caminhem em justiça, eles devem primeiro estar convictos de seus pecados. Eles devem admitir que são culpados. Deus usa a sua Palavra, a fim de convencer seus filhos. Portanto, quando nossos filhos pecam, devemos usar a Palavra de Deus a fim de que possam ser convencidos.

Os pais cujos filhos ainda não depositaram sua confiança em Jesus adotam muitas vezes o ponto de vista de que, já que os seus filhos ainda não são cristãos, eles não podem obedecer a Deus de forma sincera. Portanto, eles sentem que ainda não é benéfico instruí-los usando a Palavra de Deus. Afinal, sem o poder do Espírito Santo atuando, como a criança pode sequer chegar perto de verdadeiramente compreender e obedecer aos mandamentos de Deus? E por que ela sequer desejaria isso, já que ainda não é motivada como um cristão?

É verdade que a lei de Deus não é fácil para o homem natural. A lei de Deus é o mais alto padrão. É um padrão santo que não pode ser alcançado à parte da graça sobrenatural de Deus. Mas é exatamente isso. É a lei de Deus a partir da Palavra de Deus que nos ensina nossa necessidade de sua graça. Ensinar nossos filhos de acordo com a Palavra de Deus (a Lei de Deus) os aponta para o fato de que eles são pecadores necessitados da misericórdia e intervenção de Deus em suas vidas. A Bíblia nos diz que a Lei de Deus conduz pecadores a Cristo. Gálatas 3.24 diz: "De maneira que a lei nos serviu de aio para nos conduzir a Cristo, a fim de que fôssemos justificados por fé". Então, cada vez que seu filho viola a lei de Deus, você tem uma oportunidade de conduzi-lo à sua necessidade de Cristo.

Quando seu filho fala a você com um tom de voz desrespeitoso, não diga apenas: "Você está fazendo coisa feia". Chame isso como Deus chama, usando as palavras de Deus. Diga a seu filho o que Deus diz sobre esse comportamento em particular, e ao que ele conduz. "Querido, você está sendo desrespeitoso e não está me honrando. As coisas não irão bem para você se você me desonrar assim. Agora, tente novamente de uma forma honrosa." As palavras que escrevi são derivadas de Deuteronômio 5.16. Eu usei as palavras de Deus, mas observe como as usei, sem agir como se estivesse em pé atrás de um púlpito pregando para a congregação. Deuteronômio 6.6-7 nos diz que os mandamentos de Deus devem estar em nossos lábios e que devemos ensiná-los a nossos filhos, conversando sobre eles o dia todo, todos os dias "assentado em tua casa, e andando pelo caminho, e ao deitar-te, e ao levantar-te" (v. 7). Eu não acho que isso signifique que, quando os nossos filhos nos falam desrespeitosamente, devamos exigir em nossa voz mais formal: "Crianças, abram comigo suas Bíblias em Deuteronômio 5.16 e me acompanhem enquanto leio, 'Honra a teu pai e a tua mãe, como o SENHOR, teu Deus, te ordenou, para que se prolonguem os teus dias e para que te vá bem na terra que o SENHOR, teu Deus, te dá'". Eu acredito que devamos conhecer a Palavra de Deus e falar sobre ela tão frequentemente na presença de nossos filhos, de forma que isso seja feito de uma maneira confortável e coloquial. Não é uma forma de ensino formal, rigorosa e legalista, mas, sim, um modo de vida que está constantemente em nossos corações, em nossas mentes e em nossas línguas. Use a Palavra de Deus para ensiná-los a partir de seu coração.

Quando Alex era mais nova, ela passou por um período em que falava com uma voz chorosa na tentativa de conseguir as coisas do jeito dela. Eu perguntava a ela: "Alex, você está pedindo o suco para mamãe com uma voz autocontrolada?" ("Não, senhora"). "A mamãe nunca lhe dará o que você quer enquanto estiver choramingando. Deus quer que você tenha autocontrole, mesmo com a sua voz. Agora, eu vou ajustar o *timer* para 5 minutos e, então, você pode voltar e pedir suco com autocontrole". Eu não preguei um sermão a ela ou usei palavras que ela não conseguia entender. A Palavra de Deus diz que devemos ter autocontrole. Lamentar-se é uma questão de autocontrole. Eu simplesmente usei as palavras de Deus para repreendê-la de uma forma que ela pudesse compreender, fazê-la sofrer as consequências de ter que esperar cinco minutos e, então (o mais importante), eu a fiz voltar e pedir o suco da maneira certa.

Mais uma vez, nós podemos nos tornar cansados de sempre ter que tomar tempo para instruí-los usando a Palavra de Deus, especialmente nos dias em que parece que estamos ensinando a mesma coisa vez após vez. Nós podemos enxergar instruí-los o dia inteiro, todos os dias, vez após vez como um fardo ou uma provação. Mas Tiago 1.2-4 diz: "Meus irmãos, tende por motivo de toda alegria o passardes por várias provações, sabendo que a provação da vossa fé, uma vez confirmada, produz perseverança. Ora, a perseverança deve ter ação completa, para que sejais perfeitos e íntegros, em nada deficientes". Assim, de acordo com esses versos, nós deveríamos ser alegres e gratos em cada vez que nos é fornecida uma oportunidade de apontarmos a nossos filhos sua necessidade de Jesus ao instruí-los em Sua Palavra. Se pudéssemos ver todos os seus comportamentos pecaminosos como oportunidades preciosas para ensiná-los, então seríamos muito mais justos em nosso ensinamento. Nós estaríamos alegres e ávidos o tempo todo, em vez de zangados e frustrados. Agora, sei melhor que ninguém que é mais fácil dizer do que fazer, mas nós estamos tentando fazer nossas atitudes serem como a atitude de Cristo (cf. Fp. 2.5).

Cada vez que seu filho errar, não veja isso como uma tragédia sem esperança. Lembre-se de que não seria natural seu filho não pecar, porque, afinal, ele é um pecador.

Outro dia eu estava no *shopping*, e uma mãe estava de pé na fila ao meu lado com seus dois filhos quando de repente um dos irmãos se voltou e atingiu o outro na cabeça. A mãe exausta olhou para o filho como se ele tivesse se transformado em um alienígena verde de três cabeças e disse: "Por que você age assim?" Eu queria me intrometer e dizer: "Porque ele é um pecador. Por que ele não agiria assim?" A questão não é "Por que ele age assim?", mas: "O que você vai fazer sobre isso? Você vai permitir que esse pecado crie raízes em seu coração e cresça, ou usará essa oportunidade para instruí-lo na justiça?" Tragicamente, o que ela escolheu foi permitir que o pecado criasse raízes, porque ela começou a dar desculpas por ele. Ela olhou para alguns dos adultos que estavam por perto e, por algum motivo, sentiu a necessidade de dizer a todos nós que o seu filho estava "apenas muito cansado". "Ele não tirou seu cochilo hoje e está realmente com fome". Nesse momento, eu queria dizer: "Bem, estou cansada e com fome também, mas não é por isso que eu vou dar um tapa na sua cabeça!" Não me interpretem mal. Condições como a fadiga podem desempenhar um papel no comportamento de crianças pequenas, mas o pecado é pecado, e errado é errado. Mesmo que esteja cansado e com fome, é pecaminoso dar um tapa na cabeça de alguém! Não há nada nas Escrituras para validar a negligência do ensino porque a criança está cansada ou com fome. Elas pecam não porque estão cansadas, com fome ou tendo um dia ruim, mas porque são pecadoras. Deus colocou os pais como autoridade sobre elas para ensiná-las, não para dar desculpas pelos seus pecados.

Também foi interessante que, pouco antes do menino bater na irmã, ele estava em pé na fila, calmamente com sua mãe, e alguém passou e comentou como os filhos dela eram bem comportados. A mãe deu um sorriso satisfeito e radiante ao dizer: "Obrigado!" Até então ele não estava cansado ou com fome. Mas segundos depois, ele está tão faminto e exausto que não conseguiu sequer reunir autocontrole suficiente para evitar bater na irmã.

Meu marido e eu conduzimos várias classes de criação de filhos, eu costumava estar à frente de um ministério em Auburn, Alabama, chamado "De mãe para mãe", e eu viajava e falava sobre questões relativas à criação de filhos. Devido a esses papéis de liderança, as pessoas às vezes desenvolvem a ideia absurda de que nós somos os pais perfeitos e estamos criando os filhos perfeitos.

Algum tempo atrás, tomei conta dos filhos de uma amiga, e alguém fez o comentário: "Eu não posso acreditar que você a deixou ficar com seus filhos. Eu ficaria tão envergonhada por ela ver como os meus filhos agem!" Minha amiga April sempre foi bastante espirituosa. Ela veio com "O quê? Eu não estou envergonhada por ela ver como meus filhos agem porque eu vi os dela agirem da mesma maneira!" E como ela está certa. Eu sou extremamente apaixonada por encorajar e ensinar pais a educarem os filhos biblicamente, mas não ensino baseado na minha própria autoridade ou minha própria capacidade, porque eu não tenho. Eu ensino na autoridade da Palavra de Deus.

Na verdade, se você visitasse minha casa e visse meus fracassos, provavelmente não teria comprado este livro. Eu sou uma mãe em formação, assim como você, e embora eu deseje ser santa e perfeita na educação dos meus filhos, estou longe disso. Eu me esforço para ensiná-los diligentemente, a fim de conquistar seus corações para Jesus, mas eu não sou perfeita, e nem eles são.

A simples verdade é que todas as crianças são pecadoras e manifestarão um comportamento pecaminoso. A questão não é: Será que elas pecarão?, mas: Quando elas pecarem, o que você fará a respeito? Você as ignorará, gritará com elas, dará desculpas por elas ou as ensinará no caminho que devem andar? (Pv. 22.6).

A RESPONSABILIDADE DOS PAIS

Deus deu aos pais as seguintes responsabilidades:

Usar todas as oportunidades para apontar às crianças sua necessidade de Cristo. A maior necessidade que os nossos filhos têm é a de nascer de novo. A salvação de nossos filhos não é baseada em nada do que fazemos como pais. Sua salvação é uma questão que só pode ser resolvida entre eles e Deus. Embora nós sejamos responsáveis diante de Deus para direcionar nossos filhos ao Salvador, é Deus que toca seus corações.

Por vários anos, senti que, se eu os instruísse diligentemente nas Escrituras, isso garantiria sua vinda a Cristo. Quando meu filho tinha sete anos, percebi que eu podia citar todas as passagens corretas para cada questão pecaminosa com a qual ele fosse confrontado e fazê-lo obedecer de acordo com as Escrituras, mas só Deus poderia atingir seu coração. Veja você, ele se tornou realmente bom em prestar serviço verbal. Eu o instruía, e ele verbalizava todas as palavras certas, mas sua expressão facial dizia: "Eu já disse tudo o que você queria que eu dissesse, agora suma da minha frente!" Foi durante esse período que Deus me ensinou a parar de confiar em minhas próprias habilidades. Eu tive que parar de tentar controlar o coração dele e deixar Deus agir. Foi um momento difícil. Parecia que havia um oceano de distância entre nós. Eu sou grata por esse tempo, porque me trouxe maior dependência de Deus. Eu o procurei com todo meu coração e lhe pedi para restaurar nosso relacionamento e trazer o Wesley a um ponto em que ele receberia a minha instrução com o amor com o qual ela era intencionada.

Deus me levou a fazer duas coisas. Primeiro, ter um tempo sozinha com o Wesley a cada noite na hora de dormir. Não ter pressa. Não gastar esse tempo instruindo, mas simplesmente sentando em sua cama e ouvindo qualquer coisa sobre a qual ele escolhesse falar. Segundo, voltar ao seu quarto a cada noite antes de eu ir para a cama e orar por ele, enquanto ele dormia. A minha oração de cada noite foi para que Deus tocasse o coração dele. E Ele o fez (para entender como levar o seu filho a Cristo, consulte o Apêndice B).

Instruí-los a obedecer a Deus ao honrar e obedecer a seus pais. Nós devemos ajudá-los a obedecer a Deus, exigindo que obedeçam à mãe e ao pai. Se deixarmos de exigir obediência de nossos filhos, nós nos tornamos uma pedra de tropeço para eles. Lucas 17.2 explica que seria melhor para nós nos afogarmos no mar com uma pedra de moinho amarrada ao redor de nossos pescoços do que fazer com que uma criança tropece. Nós estamos privando nossos filhos das bênçãos que Deus tenciona para eles quando deixamos de exigir obediência. Efésios 6.1-3 diz: "Filhos, obedecei a vossos pais no Senhor, pois isto é justo. Honra a teu pai e a tua mãe (que é o primeiro mandamento com promessa), para que te vá bem, e sejas de longa vida sobre a terra".

Ensinar-lhes sabedoria. Isso é aplicável para crianças salvas e não salvas. Embora a Bíblia ensine que ninguém que rejeita a Cristo seja verdadeiramente sábio, ainda nos é dado o dever de educar e instruir cuidadosamente nossos filhos com sabedoria para a vida diária.

Instruí-los na justiça. Brenda Payne diz: "Nós não podemos tornar nossos filhos justos, mas podemos instruí-los a fazer o que é certo". Paulo disse a Timóteo em 1 Timóteo 4.7-8: "Mas rejeita as fábulas profanas e de velhas caducas. Exercita-te, pessoalmente, na piedade. Pois o exercício físico para pouco é proveitoso, mas a piedade para tudo é proveitosa, porque tem a promessa da vida que agora é e da que há de ser". É importante que nossos filhos tenham o hábito de pensar e agir corretamente. Eles precisam entender que, quando demonstram a justiça de Deus, estão reluzindo a sua luz em um mundo de trevas. Essa é uma maneira que eles podem compartilhar o poder de Jesus em suas vidas com outros.

Eu tentei explicar as muitas maneiras que podemos compartilhar a nossa fé com os outros para a minha filha de cinco anos de idade, mas não acho que ela tenha compreendido totalmente o conceito. Uma tarde, ela decidiu que iria agir de acordo com o conselho da mamãe e compartilhar sua fé com algumas das crianças do bairro. Eu achei seu momento impecável, seu método notável, e seu motivo... bem, só Deus pode julgar realmente o motivo de seu coração.

Há algumas crianças em nosso bairro que sentem muito prazer em provocar a Alex (o que não é muito difícil de fazer). Um dia em particular, elas começaram sua guerra de palavras, a fim de irritá-la – e como ela ficou irritada. Do canto de seu quintal, elas gritaram comentários hostis, um após o outro. Eu tenho certeza de que Alex estava lutando com a ideia de "retribuir ou não o mal com o mal" ou seguir o conselho de sua mamãe e ser uma testemunha de Jesus. Dividida entre as duas opções, ela se empinou até a borda do nosso quintal, colocou as mãos nos quadris, começou a balançar de um lado para o outro e com o queixo erguido, ela começou a cantar ao som de na-na-na-na-na as palavras, "vo-cê-nem-co-nhe-ce-Je-sus!". Embora eu não pudesse ver seu rosto, a suspeita me disse que ela mostrou a língua após a música. Desnecessário dizer que nós ainda estamos trabalhando em como compartilhar nossa fé.

"Joana", a Batista

Além da mulher de Provérbios 31, vejo a minha responsabilidade sendo em grande parte como a de João Batista.

Deixe-me explicar. Como pais, é-nos dada a maravilhosa responsabilidade de estarmos na brecha perante os nossos filhos. Antes de eles se renderem ao senhorio de Deus e se colocarem sob sua autoridade, eles estão soberanamente debaixo da única autoridade que conhecem – seus pais. Essa era divina nos coloca na brecha entre Deus e nossos filhos. Deus nos chamou para sermos "João Batista" para nossos filhos. Em obediência ao chamado de Deus, João dedicou sua vida a preparar o caminho para Jesus. Deus usou as palavras e ações de João para ajudar a preparar aqueles que Jesus chamaria a si mesmo mais tarde.

Da mesma forma, Deus nos confiou para preparar os corações de nossos filhos para o Salvador. Somos ferramentas utilizadas por Deus para extrair os calos do coração, mantendo o coração tenro e inclinado à obediência. Quando ordenamos que nossos filhos nos obedeçam, estamos preparando-os para obedecer a Jesus, que é o nosso objetivo final. Quando eles aceitam a Jesus e se rendem ao seu Senhorio, eles acham mais fácil dar ouvidos aos seus mandamentos, porque eles já estão habituados a obedecer. Vamos adiante do Senhor, assim como João Batista fez, e "preparar o caminho".

Orar por eles. Nós devemos envolver todos nossos esforços em oração pela salvação de nossos filhos. Nós podemos obedecer a Deus ao educar e instruir nossos filhos, mas é Deus quem muda seus corações (para aprender a orar pelos seus filhos, consulte o Apêndice C).

Ser um exemplo piedoso. Nós devemos ensinar pelo nosso exemplo. Muitos anos atrás, meu amigo Toma me escreveu um bilhete que dizia: "O seu falar fala, e a sua prática fala, mas sua prática fala mais do que fala o seu falar".

J. Vernon McGee conta uma história sobre um pai que mantinha uma garrafa de uísque no celeiro. Todas as manhãs, ele tinha o hábito de sair e tomar um gole de uísque. Uma manhã, ele foi para o celeiro, como era seu hábito, mas dessa vez ele ouviu alguém atrás dele. Ele se virou e descobriu que era seu filho pequeno seguindo-o, pisando nas pegadas na neve, onde seu pai tinha andado. O pai perguntou: "O que você está fazendo, filho?" O menino respondeu: "Estou seguindo seus passos." O pai mandou o menino de volta para casa, foi até o celeiro e quebrou a garrafa de uísque.

Alguém está seguindo seus passos. Seu filho aprende mais não pelo que ouve você dizer, mas pelo que vê você fazer. Ele seguirá muitos dos exemplos que você colocar diante dele. Ao seguir seu exemplo, ele será um praticante da Palavra de Deus ou apenas um ouvinte? Ele será fiel ou hipócrita? Talvez um dos versículos mais sérios no que diz respeito à nossa responsabilidade em ensinar nossos filhos esteja em Lucas 6.40: "O discípulo não está acima de seu mestre; todo aquele, porém, que for bem instruído, será como seu mestre".

Por que eu repreendo meus filhos?

Em Mateus 18.15, Deus ordena que repreendamos aqueles que são pegos em pecado. Repreender nossos filhos de acordo com as Escrituras expõe o mal, derramando luz onde há trevas, convencendo, assim, o culpado. Agora, deixe-me esclarecer um ponto. Nós somos simplesmente os veículos que entregam a Palavra de Deus. É a Palavra de Deus e o Espírito de Deus que realmente convencem.

Quando repreender os filhos

Como sei quando deveria repreender meus filhos?

Quando seu filho tiver pecado. A repreensão está correta quer seus filhos tenham pecado intencionalmente ou não.

Antes de dar uma palmada. Você nunca deve bater em seu filho sem lhe dizer exatamente o que ele fez de errado e o que ele pode fazer para agir corretamente.

Embora uma repreensão deva sempre acompanhar o castigo bíblico, às vezes, uma repreensão por si só é tudo que é necessário. Aqui estão dois tipos de situações em que apenas uma repreensão deveria ser dada:

Quando a criança não tiver sido informada do padrão de seus pais. Isto é, ela não sabia que o que estava fazendo era errado ou desobediente. Para que nossos filhos compreendam suas responsabilidades em obedecer às normas, precisamos comunicar essas normas a eles. Uma forma de fazer isso é discuti-las durante um momento sem conflito. Há muitas maneiras de fazer isso. Você pode buscar devocionais para o desenvolvimento do caráter ou estudar personagens bíblicos juntos. Há uma abundância de livros infantis baseados na Bíblia que dão exemplos de como demonstrar o caráter piedoso em várias situações. As crianças absorvem mais rapidamente as lições de moral durante os momentos em que elas não estão em apuros.

Outra forma de ajudar seus filhos a respeitarem a norma é discutir o que se espera antes de entrar em uma situação em que você sabe que eles serão tentados a desobedecer.

Por exemplo, ao ir para o supermercado, você pode perguntar a seus filhos: "Quem sabe o que *não* se deve fazer, enquanto estiver no supermercado?" Quando meus filhos eram mais novos, nós realmente fazíamos um "jogo" a partir disso. Eles recebiam um "ponto" para cada resposta. As respostas podem incluir: "Não devemos tocar nas coisas nas prateleiras. Não devemos pedir um monte de comidas que não são saudáveis. Não devemos nos afastar de você".

Após eles terem assumido a responsabilidade pelo que *não* fazer, eu perguntava: "Quem sabe o que você *deve* fazer no supermercado?" As respostas podem incluir: "Nós devemos caminhar a seu lado. Devemos falar quando nos for perguntado. Não devemos nos 'pendurar' no carrinho".

A instrução em momentos sem conflitos lhes dá não apenas uma compreensão clara do que é esperado, mas ajuda também a prevenir contra a desobediência.

Quando a criança não é caracterizada pelo pecado em que foi pega. Em outras palavras, digamos que a criança sabe que é a sua norma de que ela venha até você assim que você a chamar, e já há algum tempo, ela tem sido caracterizada por responder prontamente ao seu chamado e imediatamente vir até você. Digamos que uma tarde você a chame, e ela grite: "Eu estou ocupada, mãe!" Esse não é o momento de castigá-la, porque ela não é caracterizada por desobedecer você nessa área. É quando você deve demonstrar graça, assim como o nosso Senhor demonstra graça, e simplesmente repreendê-la. Agora, se ela faz isso novamente no dia seguinte, o castigo estaria em ordem.

Capítulo 7

Lidando com o manipulador

Um pecado que é negligenciado muitas vezes e merece repreensão é a manipulação. Lou Priolo define manipulação como "uma tentativa de ganhar controle sobre outro indivíduo ou situação ao incitar uma *reação emocional* em lugar de uma *resposta bíblica* daquele indivíduo... Para um cristão, a manipulação é usar meios não bíblicos para controlar ou influenciar outra pessoa" (grifo meu).[1]

Pessoalmente, acredito que as mulheres são melhores em manipular do que os homens, mesmo quando crianças. Veja minha filha, Alex. Ela é um exemplo perfeito da mente de uma jovem mulher em ação.

Eu havia saído para resolver diversas coisas com Alex e sua amiga Molly, de quatro anos de idade. Ao nos aproximarmos do carro uma última vez, eu me preparei para lidar com o conflito que vinha evitando todas as vezes que as meninas entravam no carro: quem subiria primeiro. Eu abri a porta de trás e, mais uma vez, as meninas abriram caminho passando pelas minhas pernas para ver quem poderia ser a primeira a entrar. Mas antes que eu pudesse apresentar meu conselho para resolver o conflito de uma vez por todas, Alex abriu a boca e disse: "Molly, desta vez eu serei gentil e generosa". Eu olhei para o seu rostinho sincero e pensei comigo mesma: "Louvado seja o Senhor". Então, ela continuou: "Desta vez eu entrarei primeiro porque eu quero ser gentil". A pequena Molly de quatro anos de idade parecia confusa. Com um nariz retorcido e o lábio superior levantado, Molly perguntou: "Hã?" A resposta simples de Alex veio enquanto ela mergulhava para dentro do carro antes de sua amiga: "Molly, você sabe que os primeiros serão os últimos, e eu não quero que você seja a última, então eu estou entrando em primeiro lugar!" Percebeu o que quero dizer? As meninas têm a capacidade de conseguir o que querem e ainda fazer a outra pessoa sentir que saiu por cima. É realmente incrível, se você pensar sobre isso.

E quanto aos meninos? Ah, sim, eles têm suas habilidades naturais também.

É tarde da noite, quando você ouve um barulho vindo da cozinha. Ele se parece muito com o estouro da tampa do frasco de vidro de biscoitos. Você caminha desconfiadamente na ponta dos pés até a cena do crime e então entra pela porta que ainda estava balançando. O seu pequeno "cervo" de olhos arregalados parece estar tão assustado que nem se move. Ele foi pego com a boca na botija, mas suas travessuras rápidas e inteligentes vão muito além daquelas de um típico garoto de três anos de idade. Ao experimentar temporariamente a perda do bom senso, você pergunta firmemente: "O que você está fazendo, filho?" O braço pequeno e gordinho se estende, oferecendo-lhe um biscoito, enquanto ele docemente responde: "Eu estava pegando um biscoito para você, mamãe... posso comer um também?"

O MANIPULADOR MAIS NOVO

A manipulação é mais fácil de detectar em crianças menores do que em crianças mais velhas. As crianças mais novas talvez chorem, lamentem, implorem ou façam uma cena, a fim de obter o que quer que elas queiram. Quando fazem isso, estão *agindo de maneira tola*. E quando a mãe recompensa a tentativa pecaminosa da criança por ganho pessoal, dando-lhe o que ela quer, ela está *respondendo de maneira tola*.

O MANIPULADOR MAIS VELHO

Manipuladores mais velhos foram manipuladores mais jovens que apenas aperfeiçoaram suas táticas. Estas costumavam ser uma tentativa óbvia de ganhar o controle de outra pessoa ou da situação. Agora, suas tentativas são um pouco mais inteligentes, o que as tornam mais sutis e difíceis de serem detectadas. As crianças mais velhas talvez acusem, critiquem, façam cara feia, perguntem "Por quê?", ajam com indiferença ou retenham carinho, a fim de manipular sua resposta. Quando elas fazem isso, estão *agindo de maneira tola*. A mãe talvez recompense a tentativa pecaminosa da criança por ganho pessoal justificando suas ações, defendendo-se, culpando-se, respondendo aos "Por quês?" ou argumentando. Quando a mãe faz isso, está *respondendo de maneira tola.*

Respondendo à manipulação

Deus deu instruções aos pais sobre como responder à manipulação:

"Não respondas ao insensato segundo sua estultícia, para que não te faças semelhante a ele. Ao insensato responde segundo sua estultícia, para que não seja ele sábio aos seus próprios olhos" (Pv. 26.4-5). Isso não quer dizer que as crianças sejam insensatas, mas que são capazes de agir tolamente e de acordo com sua natureza pecadora. A genialidade da sabedoria de Deus nesse provérbio é que ele considera diferentes tipos de tolice. Se uma criança está apegada obstinadamente a uma justificativa particularmente tola por suas ações, os pais devem evitar serem arrastados para dentro de uma discussão interminável e, se necessário, passar diretamente à disciplina. Mas, se seu filho mostra sinais de capacidade e disposição para aprender, você pode graciosamente resgatá-lo da tolice de ser "sábio aos seus próprios olhos".

A Bíblia nos dá muitos exemplos de pessoas, tanto amigos quanto inimigos, que tentaram manipular Jesus. Jesus nunca respondeu a uma questão ou acusação tola com uma resposta tola. Ao contrário, respondia de tal forma que o tolo não era capaz de se afastar da conversa acreditando que era "sábio aos seus próprios olhos". Muitas vezes, Jesus mostrou ao tolo sua própria tolice, levando-o a avaliar seu próprio coração. Jesus fez isso levando o foco do comentário manipulador para o próprio coração e motivações do manipulador.

Por exemplo, Lucas (capítulo 10) narra o momento em que Jesus entrou na casa de Maria e Marta. Maria sentou aos pés do Senhor e escutou suas palavras, enquanto Marta estava distraída com todos os preparativos que deviam ser feitos para os convidados. Agora, o que Marta queria era assistência para ajudar com os preparativos, mas, em vez de simplesmente pedir ajuda, ela tentou manipular Jesus a fazer com que Maria ajudasse. Em Lucas 10.40 Marta se queixa: "Senhor, não te importas de que minha irmã tenha deixado que eu fique a servir sozinha? Ordena-lhe, pois, que venha ajudar-me". Jesus respondeu de tal forma que Marta teve que tirar o foco do que Maria estava fazendo e colocá-lo sobre as motivações do seu próprio coração. Nos versículos 41-42, Jesus respondeu: "Marta! Marta! *Andas inquieta e te preocupas com muitas coisas.* Entretanto, pouco é necessário ou mesmo uma só coisa; Maria, pois, escolheu a boa parte, e esta não lhe será tirada" (grifo meu).

Em outras ocasiões, Jesus frustrou as intenções de seus manipuladores, evitando suas perguntas por completo, demonstrando, assim, a insensatez deles à multidão. Por exemplo, em Mateus 21.23-28, os principais sacerdotes e os anciãos questionaram a autoridade de Jesus, a fim de minar seu ministério diante da multidão. Em vez de defender a si mesmo e incitar a discussão que eles buscavam, ele fez uma pergunta que expôs a própria escravidão deles à opinião popular: "Donde era o batismo de João, do céu ou dos homens?" (v.

25). Quando eles se recusaram a responder à pergunta, Jesus respondeu: "Nem eu vos digo com que autoridade faço estas coisas" (v. 27).

Nossa responsabilidade é responder à insensatez da mesma forma que Jesus fez. Como pais, nós podemos julgar as palavras e ações de nossos filhos, mas não temos a capacidade de julgar seus pensamentos e motivações. No entanto, se formos sábios, podemos ajudá-los a avaliar o que está em seu próprio coração. Nós podemos orientá-los a remover a insensatez que está atada a ele. Aqui estão alguns exemplos de como isso pode funcionar:

Exemplo 1

Como você responderá?

Sua filha está tendo um tempo maravilhoso brincando de "desfile" em seu quarto. Você lhe diz que ela pode brincar por mais cinco minutos e que após isso ela precisa limpar o quarto, porque é hora de almoçar. Com uma voz chorosa, ela diz: "Mas por quêêê?" Deixe-me acrescentar que existem dois tipos de "porquês". Existe o "por quê?" usado para manipular, e o "por quê?" sincero que realmente busca uma resposta. Geralmente, não é difícil discernir entre os dois. A mãe já tinha dito que era hora de almoço. Obviamente, o "por quê?" choroso é uma tentativa de manipular a mãe para que lhe permita continuar brincando.

A. Você pode lhe responder de acordo com sua insensatez e dizer: "Porque você esteve brincando por uma hora, e eu acabei de lhe dizer que é hora do almoço".

B. Você pode lhe responder como sua insensatez merece e dizer: "Querida, será que é possível que você esteja mais interessada em brincar de 'desfile' do que agradar ao Senhor?" Deus diz: "Filhos, em tudo obedecei a vossos pais; pois fazê-lo é grato diante do Senhor" (Cl. 3.20).

Exemplo 2

Como você responderá?

Seu filho está brincando do lado de fora com um amigo da vizinhança. Você lhe diz que ele precisa dizer adeus ao seu amigo porque é hora de cortar os cabelos. Com um rosto descontente, ele diz: "Você nunca me deixa brincar com o Jimmy. Eu nunca consigo me divertir!"

A. Você pode lhe responder de acordo com sua insensatez e dizer: "É claro que você se diverte, e eu deixei você brincar com o Jimmy três dias atrás!"

B. Você pode lhe responder como sua insensatez merece e dizer: "Será que você está tentando fazer eu me sentir culpada, a fim de obter o que você quer? Você deveria desejar honrar e obedecer aos seus pais mais do que você deseja brincar lá fora com o Jimmy. Filho, tenha cuidado para não se tornar um amante do prazer mais do que um amante de Deus" (Pv. 21.17; 2Tm. 3.4).

Capítulo 8

Orientações para a correção verbal

Eu posso me identificar com as frustrações de criar filhos pequenos o dia inteiro. Estive lá, já fiz isso! Eu também sei o quão fácil é para a mãe perder a calma. Eu estava realmente lutando com uma questão um dia em particular quando meus filhos eram mais novos. Sentindo-me culpada pelas duras palavras e o tom não tão doce de voz que eu havia usado o dia inteiro, decidi escrever algumas orientações que me permitiriam me manter dentro de limites razoáveis. Talvez você possa ser beneficiada por elas também.[1]

Orientação 1: Examine seus motivos. Estou fazendo isso porque minha vontade foi violada ou porque a vontade de Deus foi violada? Estou corrigindo meu filho porque ele pecou contra Deus ou porque seu comportamento me causou algum desconforto pessoal, vergonha ou problema?

Considere outro exemplo pessoal. Este é aquele domingo em que você chega à igreja após uma manhã nada agradável, apenas para descobrir que os únicos assentos disponíveis estão na primeira fileira, exatamente em frente ao pastor e ao coro. Você relutantemente organiza sua família em um formato com a "maior probabilidade de sucesso". Não está funcionando. Eles começam a se agitar e se contorcer, como se seu café da manhã não consistisse em nada além de *Butter Toffees* e *M&M's*. Eles começam com essa coisa pequena de balançar a cabeça. Em seguida, deslizam até a borda do banco e progridem para o balanço do corpo inteiro, agitando de um lado para o outro com aqueles olhos arregalados. Algum tipo de som gorgolejante, que não parece humano, começa a soar no ritmo do balanço do corpo. Já pelo meio do culto, após várias advertências e ameaças severas, eles estão deitados de costas no banco da igreja com seus pés esticados para cima no ar. Você se vira para fazer um pedido de desculpas às pessoas atrás de você e os encontra olhando para seus filhos com um olhar aborrecido em seus rostos. Ao fim do culto, você já descarregou um pouco de raiva, informando-os com os dentes cerrados do que acontecerá com eles quando chegar a casa. Então, agora, eles estão chorando e lamentando de forma bastante audível: "MAS EU NÃO QUERO APANHAAAAR". No momento em que vocês chegam ao saguão de entrada, eles já enlouqueceram completamente. Eles se jogaram no chão, chutando e gritando, e você está arrastando-os para fora por uma perna. São momentos como esses que você precisa orar pelas suas motivações antes de administrar qualquer forma de disciplina.

Nossos filhos podem sentir quando estão apanhando por motivos impuros, e Deus conhece as motivações do nosso coração. Se a nossa motivação é pecaminosa, nós repreenderemos de uma forma pecaminosa, e nossos filhos verão isso como um ataque pessoal ou um ato de vingança. Isso pode resultar em raiva em vez de arrependimento. Ore por seus motivos antes de repreender seu filho se você sentir que eles não estão duvidosos.

Por exemplo, nada me irrita mais do que quando estou falando com um adulto e um dos meus filhos interrompe nossa conversa. Contudo, se estou motivada pela ira pecaminosa, eu pecarei contra Deus e meu filho quando administrar uma repreensão. Minha motivação não deve ser a vingança por estar irritada ou incomodada. Ela deve ser a de expulsar a rudeza e o desrespeito imprudente do coração do meu filho. Se a minha motivação for pecaminosa, eu talvez diga: "Eu não posso acreditar que você seja tão descuidado. Estou tentando falar com ela, e você está agindo tão feio!" Mas se minha motivação for justa em vez de egoísta, eu talvez diga: "Querido, você acha que é gentil ou rude interromper a mamãe enquanto ela está falando com alguém? Você está pensando nos outros ou em si mesmo ao interromper? O que você poderia ter feito, em vez de interromper?" Sempre se lembre de aplicar Gálatas 6.1 ao repreender seu filho: "Irmãos, se alguém for surpreendido nalguma falta, vós, que sois espirituais, corrigi-o *com espírito de brandura*" (grifo meu).

Assim, lembre-se de que devemos fornecer a nossos filhos uma rota alternativa em vez de apenas repreendê-los pelo erro. "Não vos sobreveio tentação que não fosse humana; mas

Deus é fiel e não permitirá que sejais tentados além das vossas forças; pelo contrário, juntamente com a tentação, vos proverá livramento, de sorte que a possais suportar" (1Co. 10.13). As crianças muitas vezes sentem a necessidade urgente de comunicar alguma coisa à sua mãe enquanto ela está falando com outra pessoa. Para evitar interrupções rudes, é esperado de nossos filhos que eles coloquem a mão em mim e esperem eu lhes dar permissão para falar. Dessa forma, eles não são exasperados. Afinal, quando duas mães estão falando, pode parecer uma eternidade antes que haja uma pausa na conversa. Isso pode ser insuportável para uma criança pequena.

Quando meus filhos colocam a mão em meu braço (ou em qualquer outro lugar), eles estão me informando de uma maneira que mostra respeito por mim e pela outra pessoa: "Mãe, eu preciso dizer uma coisa, mas eu não quero ser rude". Eu geralmente coloco minha mão sobre a deles para comunicar: "Eu sei que você precisa de alguma coisa, e eu vou lhe perguntar assim que houver uma pausa na conversa". Assim que for conveniente, eu lhes darei permissão para falar. Isso é proporcionar-lhes uma rota alternativa. Ensiná-los a colocar a mão em você em vez de interromper não é um mandamento bíblico. É uma ferramenta, utilizada para prevenir a exasperação.

Orientação 2: Examine sua vida. Eu provoquei meu filho de alguma maneira? Qual é meu exemplo? Como eu ajo quando as coisas não saem do meu jeito? Já levei meu filho a pecar por deixar de ensiná-lo? Ao deixar de lhe fornecer uma rota alternativa? Ao deixar de instruí-lo no que é certo? Eu dei ao meu filho mais liberdade do que ele podia suportar? Nós devemos aplicar a admoestação bíblica: "Hipócrita! Tira primeiro a trave do teu olho e, então, verás claramente para tirar o argueiro do olho de teu irmão" (Mt. 7.5).

Orientação 3: Escolha o momento e o lugar certos. Não envergonhe seu filho. Ele estará mais atento às suas instruções se não estiver envergonhado por ser repreendido na frente de seus amigos. Quando você repreende seu filho na frente de outras pessoas, você tira seu foco do pecado em seu coração e coloca sobre a vergonha e humilhação que você desnecessariamente lhe causou. Seu objetivo não é constrangê-lo, mas trazê-lo ao arrependimento. Ocasionalmente, pode ser necessário repreender seu filho na frente de outros, mas a maior parte do tempo, se outros estiverem por perto, será melhor levar a criança a outro cômodo ou silenciosamente instruí-la em seu ouvido. Jesus nos ensinou: "Se teu irmão pecar [contra ti], vai argui-lo entre ti e ele só. Se ele te ouvir, ganhaste a teu irmão" (Mt. 8.15).

Orientação 4: Escolha as palavras certas. Tenha cuidado para não substituir a sabedoria de Deus pela sabedoria humana. Em vez de usar a terminologia mundana, use a terminologia bíblica. Por exemplo, ao falar com seu filho, não substitua:

"Você está sendo desrespeitoso" por "Você está agindo feio".

"Contar uma mentira" por "Ser criativo".

"Ser tolo" por "Ser teimoso".

"Ser desobediente" por "Ser temperamental".

Use a terminologia bíblica quando puder, porque é o poder das palavras de Deus e sua sabedoria que penetrarão realmente nos corações de seus filhos. Hebreus 4.12 explica esse poder de forma clara: "Porque a palavra de Deus é viva, e eficaz, e mais cortante do que qualquer espada de dois gumes, e penetra até ao ponto de dividir alma e espírito, juntas e medulas, e é apta para discernir os pensamentos e propósitos do coração".

Orientação 5: Escolha o tom certo de voz. Faça um esforço consciente para não esbravejar com seu filho. Você está pronto para repreendê-lo biblicamente quando pode falar com ele em um tom de voz normal e com palavras cuidadosamente medidas: "O coração do justo medita o que há de responder, mas a boca dos perversos transborda maldades" (Pv. 15.28). Em 1891, H. Clay Trumbull escreveu sobre os perigos do esbravejamento:

Esbravejar nunca é de fato correto, ao lidar com uma criança ou qualquer outra obrigação na vida. "Esbravejar" é atacar ou insultar com um discurso tempestuoso... Esbravejar é sempre uma manifestação de um espírito ruim e de uma perda de temperamento...

Se uma criança agiu de forma errada, ela precisa de conversa; mas nenhum pai deveria falar com uma criança enquanto for incapaz de falar em um tom natural de voz e com palavras cuidadosamente medidas. Se o pai estiver tentado a falar rapidamente ou a multiplicar as palavras sem ponderá-las, ou a mostrar um estado de sentimento agitado, a primeira obrigação do pai é ganhar autocontrole completo. Até que esse controle esteja garantido, é inútil a tentativa do pai de tentar qualquer medida de instrução da criança. A perda de autocontrole é, no momento, uma perda absoluta do poder para o controle de outros...

Se, de fato, esbravejar tiver qualquer efeito bom, esse efeito é no esbravejante, e não em com quem se esbravejou. O esbravejamento é a explosão de um sentimento forte que luta pelo domínio sob a pressão de alguma provocação externa. Nunca beneficia aquele contra quem é dirigido, nem mesmo aqueles que observam de fora, no entanto, pode dar alívio físico à pessoa que se entrega a ele. Se, portanto, esbravejar for uma necessidade inevitável por parte de qualquer um dos pais, deixe que ele se feche, de uma vez, totalmente sozinho, em uma sala onde possa se entregar ao esbravejamento sem prejudicar alguém. Mas convém lembrar que, como um elemento na formação da criança, esbravejar nunca, nunca é correto.[2]

Permita-me ilustrar a diferença entre esbravejar e repreender biblicamente. Era um dia frio de fevereiro. Meus filhos me perguntaram se poderiam ir para fora para brincar. Eu lhes dei permissão para sair, mas só depois que tivessem colocado seus casacos e sapatos.

Agora, você tem que entender que minha filha Alex se deleita completamente em andar descalça. Enquanto ela passava, reafirmei minhas ordens, repetindo: "Não se esqueça de colocar seus sapatos".

Vinte minutos se passaram. Então, quando eu estava levando o lixo para fora, o que eu encontro senão a Alex correndo de pés descalços, que haviam se transformado em uma cor roxa azulada. Como se isso não fosse o suficiente para acender a minha ira, suas calças novas estavam um pouco longas demais para suas pernas, de forma que, sem seus sapatos, ela pisava sobre elas. Após triturar a barra das calças no concreto por vinte minutos, agora já havia dois buracos nela. Podia estar frio lá fora, mas o calor que se acumulava na mamãe naquele momento poderia ter aquecido o bairro inteiro.

Alex havia me desobedecido diretamente. Há duas maneiras que eu poderia responder:

Eu poderia esbravejar com ela. Eu poderia dizer de forma dura: "Alex, eu DISSE a você para colocar seus sapatos! Agora, seus pés estão PRATICAMENTE CONGELADOS e VEJA o que você fez com suas calças! (com as mãos nos quadris e abanando o dedo freneticamente). O SEU PAI trabalha tão duro para comprar essas roupas, e é ASSIM que você mostra seu apreço! Veja o quão rápido você consegue colocar seu traseiro no seu quarto! Você receberá uma surra enorme, mocinha!" *Eu poderia repreendê-la biblicamente em amor.* Eu posso dizer suavemente: "Alex, querida, eu lhe disse para colocar seus sapatos antes de sair. Você obedeceu ou desobedeceu à sua mamãe?" Após ela verbalizar que desobedeceu, eu posso voltar com "Bem, querida, Deus diz que os filhos devem obedecer a seus pais. A mamãe ama você demais para permitir que você desobedeça. Agora, vá para seu quarto, e eu estarei lá em apenas um minuto".

A que resposta você acha que ela será mais receptiva? Qual delas mostra um amor incondicional e instrução cuidadosa? De qual delas ela aprenderá sem ser provocada à ira? Lembre-se de que esbravejar é uma resposta irada. "A resposta branda desvia o furor, mas a palavra dura suscita a ira" (Pv. 15.1).

Se você luta com seu tom, como eu, em vez de repreender seu filho em um tom normal de voz, você pode até tentar suavizar sua voz um pouco quando estiver repreendendo. Quando eu tenho o hábito de fazer um esforço consciente para instruir meus filhos em uma voz mais suave do que eu uso normalmente, isso me ajuda a ter autocontrole.

Orientação 6: Esteja preparado para sugerir uma solução bíblica. Isso é o que falamos anteriormente. Nós podemos dizer a nossos filhos o que colocar para fora (pecado), mas devemos lembrar que é ainda mais importante lhes dizer o que colocar para dentro (justiça), instruí-los em como substituir esse comportamento errado pelo comportamento certo, e, em seguida, fazê-los de fato exercitar o que aprenderam. A Bíblia descreve desta forma: "No sentido de que, quanto ao trato passado, vos despojeis do velho homem, que se corrompe segundo as concupiscências do engano, e vos renoveis no espírito do vosso entendimento, e vos revistais do novo homem, criado segundo Deus, em justiça e retidão procedentes da verdade" (Ef. 4.22-24).

Um lugar para a ira na repreensão

"Sabeis estas coisas, meus amados irmãos. Todo homem, pois, seja pronto para ouvir, tardio para falar, tardio para se irar. Porque a ira do homem não produz a justiça de Deus" (Tg. 1.19-20).

Entenda que nem toda ira é pecaminosa. A Bíblia não diz: "Não se ire". Ela diz: "Irai-vos e não pequeis" (Ef. 4.26). A ira é uma emoção que nos foi dada por Deus. Há uma diferença entre a ira pecaminosa e a ira justa. Pergunte a si mesmo: "Eu estou com raiva porque a minha vontade foi violada (ira pecaminosa) ou porque a vontade de Deus foi violada (ira justa)?" No entanto, mesmo se nossa ira for justa, devemos ter cuidado para não expressar essa ira usando formas pecaminosas de comunicação, tais como gritar, jogar coisas ou xingar.

Quando a ira é pecaminosa?

A ira é pecaminosa quando:

Ataca outro exteriormente. A ira pecaminosa talvez diga: "Eu lhe disse para ficar a meu lado na loja! Qual é o problema com você! Por que você não pode simplesmente fazer o que eu digo?" A ira justa talvez diga: "Querida, eu lhe disse para ficar a meu lado na loja. Você obedeceu ou desobedeceu? Isso mesmo, você desobedeceu, e eu amo você demais para permitir que você desobedeça".

Habita dentro do coração. Quando não se lida com a ira de forma bíblica, ela se torna ressentimento e amargura. Essa ira pecaminosa pode manifestar-se por guardar rancor, por dar o tratamento do silêncio a seu filho ou ser indiferente. A ira justa trabalha no coração da criança e lida com o pecado comunicando a Palavra de Deus e seguindo seus mandamentos quando se trata de disciplina.

Ao instruir nossos filhos na justiça usando a Palavra de Deus, estamos preparando-os para governar suas próprias ações e capacitando-os para discernir os problemas de seus próprios corações. Nós queremos que eles atentem às nossas instruções, afim de que aprendam a discernir o que é certo.

Provérbios 17.10 nos lembra de que "mais fundo entra a repreensão no prudente do que cem açoites no insensato".

Sábias palavras para mães e pais

Eu passei bastante tempo nos capítulos anteriores falando sobre o quão importante é chegar até o coração de seu filho e repreendê-lo usando a Palavra de Deus. Para alguns de vocês, tudo isso pode ser muito novo. Se você não tem experiência na educação de seus filhos de acordo com as Escrituras, então, provavelmente, tudo isso tenha sido um pouco avassalador para você. Você pode estar pensando: "Eu não teria a menor ideia de como fazer para encontrar a passagem que usar para as diferentes lutas que meus filhos estão tendo. Eu não saberia nem por onde começar".

Boas notícias! Eu desenvolvi uma tabela "Sábias palavras para as mães" para lhe dar um incentivo.[3]

O quadro que se segue foi projetado para mães, mas é útil para pais também.

"O coração do justo medita o que há de responder"
Provérbios 15.28

SÁBIAS PALAVRAS PARA AS MÃES

Comportamento da criança	Perguntas para investigar o coração	Repreensão (colocar para fora)	Encorajamento (colocar para dentro)	Versículos adicionais
Provocando, instigando brigas, importunando outros	1. Você está intencionando em seu coração promover a paz ou está criando problemas? 2. Como você pode mostrar amor e buscar a paz nessa situação?	**Briga**. Uma das sete coisas que Deus odeia é aquele que semeia contendas entre seus irmãos. Provérbios 6.19	**Buscar a Paz**. Deus dá alegria àqueles que promovem a paz. 1 Pedro 3.11 Provérbios 12.20	1 Pedro 3.11 Provérbios 10.12 Provérbios 12.20
Más amizades	1. Você acha que este amigo encorajará você a seguir Jesus? 2. Você acha que é uma decisão sábia "passar tempo" com esta pessoa? *NOTA*: Tenha cuidado em não condenar o insensato, mas ore por eles em amor e compaixão.	**Má Companhia**. Você deveria se afastar daqueles cujos caminhos são contrários ao ensino que você tem aprendido ou você será levado na direção errada e sofrerá danos. Romanos 16.17 Provérbios 12.26 Provérbios 13.20	**Sabedoria**. Se você andar com os sábios, crescerá em sabedoria. Provérbios 13.20	Provérbios 22.24-25 Provérbios 28.26 Romanos 16.17
Transferindo culpa, dando desculpas	1. É possível que você esteja tentando **acobertar** seu próprio pecado? 2. Sem culpar ninguém mais ou inventar desculpas, quero que você examine seu próprio coração e me diga o que você fez. 3. O que você poderia ter feito de forma diferente?	**Orgulho**. Quando você tenta esconder seu pecado, você não prospera. Deus sabe o que está em seu coração. Provérbios 28.13	**Humildade**. Se você confessar e se afastar de seu pecado, será perdoado e receberá misericórdia. Provérbios 28.13 1 João 1.9	Provérbios 21.2 Miqueias 7.9 Tiago 5.16

Comportamento da criança	Perguntas para investigar o coração	Repreensão (colocar para fora)	Encorajamento (colocar para dentro)	Versículos adicionais
Vanglória, presunção	Essas palavras trazem glória e honra a Deus ou a você mesmo?	**Orgulho.** Seja outro o que te louve, e não a tua boca; o estrangeiro, e não os teus lábios. Provérbios 27.2 Deus não tolerará um coração arrogante. Salmo 101.5	**Humildade.** Ande em humildade e considere os outros superiores a si mesmo. Filipenses 2.3	1 Samuel 17.7b Romanos 12.3 1 Coríntios 1.31 Gálatas 6.14
Murmuração	1. Será que sua atitude está mostrando gratidão e contentamento? 2. Em vez de reclamar, pelo que você poderia ser grato nesta situação?	**Murmuração.** Fazei tudo sem murmurações nem contendas.Filipenses 2.14	**Gratidão.** É a vontade de Deus que você seja grato e alegre em todas as circunstâncias. 1 Tessalonicenses 5.16-18	Provérbios 17.22 Colossenses 3.17; 23

Como usar esse gráfico

Essa tabela foi desenvolvida com o propósito de ajudá-la a usar as Escrituras para afastar a estultícia "ligada ao coração da criança" (Pv. 22.15). Ela não contém tudo o que você precisa saber sobre os comportamentos pecaminosos que estão listados, nem mesmo contém todos os comportamentos pecaminosos com os quais você pode vir a se deparar. Portanto, ela deve ser usada como uma ferramenta – não um substituto – de sua investigação pessoal da Bíblia, quando se trata de ensinar, repreender, corrigir e instruir seus filhos na justiça.

[illegible]	[illegible]	[illegible]	[illegible]	[illegible]
[illegible]	Resistência [illegible]	Ocultar [illegible]	Estratégias [illegible]	[illegible]
[illegible]	[illegible]	[illegible]	[illegible]	Resistência

Como usar este gráfico

Esta tabela pode ser usada com o propósito de ajudá-la a usar as fórmulas para [illegible] (Fig. 2.[illegible]). Ela não contém tudo o que você precisa saber sobre [illegible] comportamentos [illegible] contém todos os [illegible] mais você pode ir a se preparar [illegible] deve [illegible] sua [illegible] problema [illegible] que estão [illegible] na página.

PARTE III
O USO BÍBLICO DA VARA

Capítulo 9

A vara está ligada ao... coração?

Muitos pais hoje estão perplexos quanto à questão de bater ou não em seus filhos. Alguns dizem que é uma forma de punição cruel e abusiva ou que promove a violência. Outros simplesmente dizem que "Não acreditam na palmada". Mesmo alguns bem respeitados psicólogos cristãos orientam contra a palmada. É fácil ficar confuso.

Analisemos estes argumentos primeiro. Os dois primeiros podem ter alguma validade. Certamente há casos em que os pais batiam, e a criança cresceu com uma inclinação para a violência. No entanto, na maioria desses casos, os pais haviam abraçado uma forma mundana de bater em vez da forma bíblica de castigo. Eles haviam usado a vara sem a repreensão. Haviam punido o erro, sem explicar o certo e, na maioria das vezes, haviam castigado com raiva e com uma motivação errada. Sempre que os pais rejeitarem os métodos de Deus e abraçarem os métodos mundanos, problemas surgirão. Provérbios 14.12 nos diz: "Há caminho que ao homem parece direito, mas ao cabo dá em caminhos de morte". Nesses casos, teria sido melhor que os pais tivessem se abstido de bater por completo do que dado uma surra de uma maneira que rejeita a santa intenção de Deus pela disciplina.

O uso da vara conforme os princípios divinos é claramente ensinado nas escrituras, como veremos nas próximas seções. Dizer: "Eu não acredito em palmada" é dizer que os métodos ordenados por Deus para a instrução dos filhos estão errados. É rejeitar a Palavra de Deus. É dizer que você é mais sábio do que o próprio Deus. Os caminhos de Deus são mais altos que os nossos caminhos. "Porque os meus pensamentos não são os vossos pensamentos, nem os vossos caminhos, os meus caminhos, diz o SENHOR, porque, assim como os céus são mais altos do que a terra, assim são os meus caminhos mais altos do que os vossos caminhos, e os meus pensamentos, mais altos do que os vossos pensamentos" (Is. 55.8-9).

O QUE EXATAMENTE É A VARA?

Tedd Tripp define usar a vara como "Um pai, fiel a Deus e em fidelidade para com seu filho ou sua filha, assumindo a responsabilidade do uso cuidadoso, oportuno, calculado e controlado do castigo físico, para reforçar a importância de obedecer a Deus, resgatando, assim, a criança de continuar em sua estultícia até à morte".[1]

Por que bater é necessário?

Bater é parte do método ordenado por Deus para dirigir a estultícia para fora dos corações de nossos filhos. É-nos dito em Provérbios 22.15: "A estultícia está ligada ao coração da criança, mas a vara da disciplina a afugentará dela". Esse versículo também define claramente qual deve ser a nossa motivação ao bater em nossos filhos. Não é para se vingar por nos envergonharem ou irritarem, ou para levá-los a obedecer apenas externamente, mas para expulsar a estultícia que está ligada aos seus corações. E, como eu mencionei na parte um, se você conseguir alcançar seus corações, o comportamento cuidará de si mesmo.

Métodos mundanos utilizados pelos pais na tentativa de obter obediência

Em um esforço para evitar o uso bíblico da vara para disciplinar, alguns pais surgiram com métodos superficiais e destrutivos para obter obediência.

Método mundano 1: suborno

Certa vez, observei uma mãe no Walmart dizendo ao filho de dois anos para ir até ela. A criança ignorou sua mãe e saiu correndo na direção contrária. Em desespero, a mãe gritou: "Vem com a mamãe e eu vou lhe dar um pirulito". Imediatamente, a criança passou da deficiência auditiva para a audição excepcional e veio rapidamente para o lado da mãe. Isso não é a instruir para a obediência; é recompensar a criança por sua teimosia. As crianças devem ser ensinadas a obedecer porque é certo e porque agrada a Deus, não para receber uma recompensa. Dar-lhes uma recompensa, a fim de levá-los a obedecer, encoraja-os no egoísmo. A sua motivação para obedecer é: "Eu vou obedecer pelo que eu posso ganhar em troca".

Método mundano 2: ameaça

Este geralmente vem após você ter repetido suas instruções várias vezes sem obter êxito e, então, você usa suas "armas secretas".

"Se você não começar a compartilhar seus brinquedos agora, eu vou mandar todos eles para outras crianças que compartilharão!", diz a mãe ameaçadora. Isso lhes ensina que a mamãe não quer dizer realmente o que diz. Quantos pais, em uma tentativa de persuadir seus filhos a apreciarem seus brinquedos, falaram sobre as crianças do outro lado do mundo que não tinham nenhum brinquedo? Mas quantos pais realmente embalaram todos os brinquedos e os enviaram para Tombuctu?

Evite dizer coisas que você não intenciona fazer. Recentemente, eu me peguei ameaçando meus filhos. Eu disse: "Se você não limpar seu quarto, não passará a noite com a vovó e o vovô hoje". Mas eu sabia muito bem que eu não estava disposta a perder a minha saída com meu marido, a fim de prosseguir com essa ameaça! Mateus 5.37 diz: "Seja, porém, a tua palavra: Sim, sim; não, não. O que disto passar, vem do maligno". Nós devemos dizer o que intencionamos fazer e fazer o que dizemos, ou então podemos exasperar nossos filhos. É difícil levar a sério um mentiroso. Nunca, nunca, dê um aviso ou uma ordem sem levá-lo até ao fim. Pense antes de falar. Tente não dizer "sim" ou "não" a alguma coisa até que tenha certeza de que essa é sua resposta definitiva. Tiago 1.19 nos diz: "Seja pronto para ouvir, tardio para falar". Provérbios 15.28 nos diz que "o coração do justo medita o que há de responder".

Método mundano 3: apelo para suas emoções

Os pais muitas vezes tentam apelar para as emoções dos filhos, fazendo com que se sintam culpados. "Depois de tudo o que eu faço para você, é assim que você me paga", lamenta a mãe com uma cara triste. Esse método mundano pode ser especialmente tentador para pais que já estão no limite, muito em parte em virtude de seus filhos. É fácil sentir pena de nós mesmos e pensar que nossos filhos "nos devem" obediência. No entanto, isso ensina os filhos a agradarem a homens e não a Deus. João 12.43 nos ensina a amar a glória de Deus e não dos homens. Nós queremos que as motivações de nossos filhos à obediência venham de um coração que agrade a Deus e não de um sentimento de culpa infligido pelos pais.

Método mundano 4: manipulação do ambiente

Enquanto a mãe está conversando com uma amiga, o pequeno Rusty pega um vaso do final da mesa. A mãe olha por cima do ombro e continua a falar com a amiga enquanto coloca o vaso no alto da prateleira, onde Rusty não consegue alcançá-

-lo. Bem, o pequeno indisciplinado Rusty (ele é apenas curioso, você sabe) pega agora a armação de cristal da outra extremidade da mesa. Após ele ter deixado a marca dos seus dedos manchados de chocolate por toda parte, a mãe eventualmente percebe que ele a está segurando. "Rusty, colocar isso de volta", diz a mamãe. Rusty a coloca de volta, espera um minuto e, em seguida, a pega novamente. Então, a mãe se levanta e coloca a estrutura de cristal no alto da prateleira, onde Rusty não consegue alcançá-la. E a história se repete até que a mamãe tenha conseguido reorganizar a sala inteira enquanto o pequeno Rusty (ele é tão fofo) procura por algo que a mãe não consiga mover. Observe que a mãe instruiu Rusty. O princípio no qual ela o instruiu é este: "Se você puder alcançar, é seu. Se eu colocar onde somente eu consigo alcançar, é meu". Mas ela não foi capaz de ensinar Rusty sobre autocontrole e obediência.

Método mundano 5: argumento com a criança

A mãe pergunta ao filho de seis anos de idade: "Querido, você não quer vir e almoçar agora?" "Não, obrigado, mamãe, eu estou brincando com os meus carros".

"Ah, querido, o seu cachorro-quente esfriará se você não vier agora".

"Bem, eu prefiro ir quando eu terminar de brincar".

"Mas se você vier agora e comer, eu pensei que nós poderíamos ir ao parque depois do almoço".

"Tudo bem, mamãe, eu estarei aí em um minuto".

Aqui a mãe está tentando convencer o filho a obedecer,

em vez de simplesmente instruí-lo e esperar que ele obedeça. Os pais que tentam argumentar com seus filhos normalmente acabam frustrados e muitas vezes superados em esperteza. E eles geralmente acabam recorrendo a um suborno, a fim de obter a resposta que procuram. Argumentar com crianças pequenas em uma tentativa de levá-los a obedecer causa confusão, porque as coloca em uma posição na qual elas ainda não são maduras ou responsáveis o suficiente para estar. Isso apaga a linha de autoridade entre o adulto e a criança e coloca o filho em um nível igual ao dos pais. Em vez disso, instrua claramente seu filho e espere obediência.

Métodos mundanos como esses são apenas algumas maneiras de manipular o comportamento de uma criança, mas todos eles falham em conseguir chegar ao coração. Colossenses 2.8 nos diz: "Cuidado que ninguém vos venha a enredar com sua filosofia e vãs sutilezas, conforme a tradição dos homens, conforme os rudimentos do mundo e não segundo Cristo". E Gálatas 6.7-8 diz: "Não vos enganeis: de Deus não se zomba; pois aquilo que o homem semear, isso também ceifará. Porque o que semeia para sua própria carne, da carne colherá corrupção; mas o que semeia para o Espírito, do Espírito colherá vida eterna".

Vivemos em uma época que desafia Deus e sua Palavra em todos os pontos, incluindo a educação dos filhos. Mas a Bíblia diz: "Há caminho que ao homem parece direito, mas ao cabo dá em caminhos de morte" (Pv. 14.12). Nós não deveríamos nos surpreender com o fato de os métodos mundanos e as filosofias falsas serem ensinados por "especialistas" seculares.

No entanto, devemos aprender a discernir a diferença entre a sabedoria do mundo e a sabedoria de Deus. 1 Coríntios 3.19 diz: "A sabedoria deste mundo é loucura diante de Deus".

Eu gostaria de lhe apresentar dois cenários comuns em que a mãe deixou de fora a Palavra de Deus na instrução de seus filhos, e gostaria que você observasse como ambos os cenários terminam.

Cenário 1: uma mãe espera na fila de saída do supermercado com o filho de quatro anos de idade. Quando o pequeno Tommy começa a vasculhar a prateleira de doces, a mãe puxa o braço dele e diz: "Tommy, eu lhe disse para ficar aqui!"Tommy se solta da mãe. "Eu não quero", ele diz desafiadoramente e retorna para os doces.

A voz da mãe sobe uma oitava. "Tommy, volte aqui agora mesmo ou você vai ver quando chegar a casa!" A batalha continua enquanto o caixa registra, ensaca e coloca os mantimentos no carrinho de compras. Mãe e filho voltam para casa frustrados e irritados.

Cenário 2: uma mãe espera na fila no balcão principal da biblioteca pública com seus dois filhos em idade pré-escolar. As crianças começam a discutir e empurrar um ao outro até que a mãe diz: "Parem com isso agora mesmo! Vocês sabem que não é assim que se deve agir." Enquanto o bibliotecário carimba a pequena pilha de livros, a mãe começa a explicar: "Eu sinto muito pela perturbação; eles não tiveram sua hora de cochilo ainda". No caminho, a mãe diz aos filhos como está decepcionada com seu comportamento.

Observe como ambos os cenários terminaram com uma nota negativa. É porque a mãe não está atentando aos mandamentos de Deus ao educar seus filhos. Ela abandonou as instruções santas de Deus e adotou métodos mundanos.

Quando a instrução é feita corretamente, ela sempre termina com uma nota positiva. Uma criança que desobedece diretamente à mãe no supermercado não precisa levar uma bronca ou ter que ir para casa com uma mãe irritada. Essa forma de disciplina não demonstra amor incondicional e instrução cuidadosa. Ela envia a mensagem negativa "Eu não estou satisfeita com você" para que a criança pense sobre ela. Nosso desejo deve ser que a criança reflita sobre o que ela poderia ter feito direito, e não o que fez de errado. A mãe que toma tempo para dar uma palmada de forma apropriada em seu filho enquanto lhe assegura de seu amor e, em seguida, discute com o filho o que ele poderia ter feito, envia uma mensagem positiva: "Eu o amo o suficiente para instruí-lo no que é certo".

É o mesmo no segundo cenário. As crianças presenciaram pela primeira vez a mãe oferecer desculpas pelo seu comportamento, o que envia a mensagem negativa: "Está tudo bem em discutir e empurrar um ao outro, se você estiver cansado". Então, ela envia aos filhos sinais confusos, contradizendo a si mesma ao declarar que está desapontada com o comportamento deles. Novamente, isso faz com que as crianças reflitam sobre a desaprovação de sua mãe, em vez de uma qualidade de caráter positivo. A instrução da mãe teria sido mais eficaz e orientada para o coração se ela tivesse calmamente dito às crianças para cruzar os braços e esperar tranquilamente até ela sair. Se eles escolhessem desobedecer às suas instruções, no caminho de saída, ela poderia ter explicado que ela os ama tanto que deve lhes ensinar autocontrole e obediência. Após administrar a disciplina em casa, ela poderia ter discutido o que teria sido uma resposta positiva às suas instruções na biblioteca. Isso envia a mensagem positiva: "Eu o amo o suficiente para instruí-lo em autocontrole e obediência, a fim de que você tome decisões mais sábias".

Capítulo 10

O modelo bíblico funciona

Você alguma vez ouviu falar de pais que não querem que seus filhos obedeçam? Certamente não. Todos os pais desejam filhos obedientes, mas muitos não conseguem obter obediência. Alguns se tornam tão desanimados e frustrados que convencem a si mesmos de que a obediência não é nem mesmo possível com seus filhos.

Por que os pais são desencorajados a ponto de desistir? Por que a disciplina não está funcionando com seus filhos? Por que seus filhos estão caindo em espiral para as profundezas da desobediência? Por que muitos pais recorrem frequentemente a gritos, súplicas, ameaças e até mesmo ao abuso físico na tentativa de educar seus filhos – tudo em vão? É porque eles não estão seguindo os conhecimentos do "manual de instruções",[1] a Bíblia. Roy Lessin diz:

Quando alguém compra um aparelho novo, ele é fornecido com um manual de instruções do fabricante. Ele diz como usar o aparelho e como mantê-lo da melhor forma. Se algo der errado, o cliente é encorajado a contatar o fabricante para reparos. Assim é com a família. A família é ideia de Deus. Ele a trouxe à existência. Em sua Palavra, ele deu instruções claras a respeito de como ele espera que ela funcione. Quando pais experimentam problemas na educação de seus filhos, ele é o único a ser consultado. Ele deu aos pais o rico conselho de sua sabedoria para orientá-los na importante questão da educação de seus filhos.[2]

Por que usamos a vara?

A disciplina bíblica envolve ensino, repreensão, correção e uso adequado da vara. Você talvez esteja pensando: "Por que um pai amoroso bateria alguma vez em seu filho?"

O uso da vara demonstra fidelidade a Deus. Os pais que colocam sua confiança na sabedoria de Deus, compreendem a relação entre a vara e obediência. Atentar para os mandamentos de Deus ao usar a vara é confiar plenamente em sua sabedoria e confiar fielmente em seu conselho.

O uso da vara demonstra fidelidade para com a criança. Os pais que se recusam a bater estão causando uma injustiça espiritual para com seus filhos. Não bater é ser infiel à alma da criança. "Não retires da criança a disciplina, pois, se a fustigares com a vara, não morrerá. Tu a fustigarás com a vara e livrarás a sua alma do inferno" (Pv. 23.13-14). Isso não significa que quanto mais você bater, mais provável é que seu filho vá para o céu. Significa, simplesmente, que o uso da vara ajuda a trazer a criança à observância e a um ponto em que está mais propícia a receber a Palavra de Deus.

O uso da vara transmite sabedoria. A ligação da vara à sabedoria por meio das Escrituras é muito importante. A criança que não está se submetendo à autoridade parental está agindo estupidamente. Ela está rejeitando a jurisdição de Deus. A vara da correção traz sabedoria para a criança. Ela humilha o coração da criança e expulsa a estultícia que está ligada a ele. A Bíblia explica desta forma: "A vara e a disciplina dão sabedoria, mas a criança entregue a si mesma vem a envergonhar a sua mãe" (Pv. 29.15).

A VARA É UMA RESPONSABILIDADE

Quando os pais administram a vara, eles não estão meramente punindo seus filhos. Estão obedecendo à responsabilidade que Deus lhes deu. Existe um mistério em como a vara funciona, mas podemos estar confiantes de que, enquanto estamos obedecendo a Deus e trabalhando no bumbum, Deus está honrando nossa obediência e trabalhando no coração. Portanto, se você pretende resgatar seu filho da morte, se pretende arrancar a estultícia do coração dele pela raiz e se pretende transmitir sabedoria, você deve usar a vara.

DESCULPAS QUE OS PAIS DÃO PARA NÃO BATEREM EM SEUS FILHOS

Os pais de gerações mais recentes apareceram com várias desculpas para não baterem em seus filhos. Embora muitas dessas desculpas sejam bem-intencionadas, elas não são bíblicas.

"Mas... eu amo tanto meus filhos que sou incapaz de bater neles." Eu certamente posso me identificar com essa maneira de pensar. Uma das coisas mais difíceis que faço como mãe é administrar a vara. Dar palmadas nos meus filhos é doloroso para mim. Eu nunca acreditei nos meus pais quando eles falaram aquelas famosas palavras de pais: "Isso vai doer mais em mim do que em você". Eu sempre pensei comigo mesma: "Até parece!" No entanto, agora que o quadro mudou, sei que meus pais falavam a verdade. Propositadamente, infligir dor aos filhos é algo difícil de fazer. Mas é o pensamento mundano que diz: "Eu o amo demais para discipliná-lo." Faça a si mesma esta pergunta: Quem se beneficia com sua decisão de não bater em seu filho? Certamente, não a criança. Provérbios 23 deixa claro que a falta de disciplina com a vara coloca a criança em risco. Então, quem se beneficia de não usar a vara? Você. Você está livre do desconforto de bater em seu filho. Você está liberta de infligir dor a alguém que é tão precioso para você. Você está livre da inconveniência de tomar tempo para disciplinar da maneira correta. Mas Deus diz: "O que retém a vara aborrece a seu filho, mas o que o ama, cedo, o disciplina" (Pv. 13.24). Os pais não devem ser abusivos, mas *cuidadosos* ao disciplinar. Assim, é o amor que motiva um pai a usar a vara. Deus associa disciplina com amor, assim, quando disciplinamos em amor, *nossos filhos* associarão disciplina com amor.

"Mas... ele não é velho o suficiente para entender".[3] Alguns pais acolhem a ideia de que o Junior é muito novo ainda para entender que não tem permissão para puxar tudo para fora da mesa. As crianças têm idade suficiente para aprender "Não" quando têm idade suficiente para fazer algo que exija que você lhes diga "Não". Já ouvi mães se gabarem do quão inteligentes seus bebês são; seus bebês de seis meses de idade podem acenar tchau-tchau ou bater palmas e fazer jogos de bater as mãos quando incentivados. Aos oito meses, eles têm um conhecimento enorme de vocabulário. E respondem a instruções como: "Vem com a mamãe", "manda um beijo" e "Abraça ele". No entanto, essas mesmas mães que se gabam do quão inteligente seus bebês são dizem: "Ah, ele é muito novo para entender a palavra 'Não'". Eu ouvi mães me perguntarem quando é o momento certo para dar um tapa na mão do seu bebê por desobedecer e por tocar em algo que não deveria. A resposta deveria ser óbvia. Quando eles desobedecem e tocam em algo que não devem. Se eles tiverem idade suficiente para desobedecer, então têm idade suficiente para serem instruídos a obedecer.

Minha amiga Debra me contou a luta que teve para conseguir fazer a bebê dela ficar sentada na cadeira de refeição. A bebê tinha dez meses de idade quando aprendeu a obedecer. A mãe decidiu que, se ela tinha idade suficiente para desafiar, tinha idade suficiente para aprender submissão. A mãe relembra o dia em que Della aprendeu a obedecer nesta área:

Ela se impulsionou para uma posição meio-sentada na cadeira; eu disse: "Não, Della, não fique em pé na sua cadeira", e a sentei novamente. Ela prontamente se colocou de pé, então eu dei um tapa no seu bumbum e disse: "Não! Senta". Ela parecia confusa, domada, então se recostou, observando-me, pensou melhor, sentou-se, e nunca mais nos deu problema novamente sobre ficar de pé em sua cadeira.

Della aprendeu a lição da primeira vez que sua mãe a disciplinou. Nem todas as crianças chegam a um ponto de submissão assim tão rapidamente, mas esse exemplo certamente prova que uma criança de dez meses é capaz de aprender o significado da palavra "Não".

"Mas... ele só está agindo assim porque não estamos em casa."[4] A desobediência de seu filho vem de seu coração, não de uma mudança no ambiente. Quando você está longe de casa, não deve culpar o novo cenário pela desobediência de seu filho. Se seu comportamento for desculpado porque ele está longe de casa, ele aprenderá rapidamente que só é obrigado a obedecer em casa. É um padrão duplo que não beneficiará a criança, os pais ou os envolvidos em seus passeios. A sua palavra deve ser obedecida no supermercado, no parque, no *shopping*, na casa de um amigo, e ATÉ MESMO na casa da vovó.

"Mas... eu não acho que ele se sente bem, porque ele só age assim quando está doente."[5] Se seu filho está doente, ele precisa de cuidados especiais da mãe. Precisa de muito amor, repouso e, possivelmente, de remédio. No entanto, a desobediência não deve ser desculpada, porque a criança "não se sente bem". Não há nada nas Escrituras para validar a negligência da instrução porque a criança está cansada ou doente. A Bíblia não diz que os filhos devem ser instruídos a obedecer, *exceto* quando estão doentes. A Palavra de Deus é sempre a mesma.

Se seu filho está com febre, com o nariz escorrendo ou com dor de barriga, "Sim" ainda significa "Sim" e "Não" ainda significa "Não". Os pais que deixam de instruir seus filhos cada vez que a criança tem um resfriado encontram-se com a difícil tarefa de reeducá-los mais tarde. É sempre mais fácil educar do que reeducar.

"Mas... ele puxou isso do seu tio Tom. Ele tem um temperamento ruim também."[6] Talvez seja tarde demais para corrigir o temperamento do tio Tom com a vara (embora eu ache que existem muitos adultos que poderiam se beneficiar de uma boa e velha surra), mas não é tarde demais para seu filho. O fato de que o tio Tom não foi instruído em autocontrole deve servir como um motivador, não uma desculpa. Culpar o pecado com a hereditariedade da criança é dizer o óbvio. *Em certo sentido, todo* pecado é hereditário. Nós herdamos de Adão. Mas, com certeza, o uso bíblico da vara ajuda a lidar com qualquer característica hereditária que precise ser corrigida.

"Mas... palmada não funciona com meu filho." Uma mãe me disse uma vez: "Você pode ser capaz de fazer seus filhos obedecerem, mas isso não funcionará com os meus filhos". Ela passou a explicar como as personalidades de seus filhos eram diferentes. Cada criança é uma criação única de Deus, mas ele espera que todas obedeçam independentemente da sua personalidade. Cada criança tem características físicas, personalidades e habilidades distintas, mas em nenhum lugar da Bíblia existe a afirmação de que alguma criança é uma exceção à ordem de Deus para a obediência. Colossenses 3.20 diz:

"Filhos, em tudo obedecei a vossos pais; pois fazê-lo é grato diante do Senhor".

Razões em que bater não funciona

Em alguns casos, a palmada não tem o efeito desejado na instrução do coração da criança. Geralmente, isso pode ser atribuído à aplicação imprópria da vara, da qual existem diversas variedades:

Falta de consistência. Você tem que ser consistente. Bruce Ray diz: "Não é a gravidade da correção que produzirá obediência; é a certeza da correção que trará o resultado desejado. Seja coerente em sua administração de disciplina. Nunca, nunca, nunca emitir um aviso ou uma ordem sem levar até o fim".[7]

Um dia, a mãe de Johnny o ignorou enquanto ele arrastava todos os potes Tupperware para fora do armário da cozinha. Mas, no dia seguinte, ele recebeu uma palmada por isso. Que confuso, irritante e injusto isso é para a criança! Se ela nunca sabe quando você pode atacar, ela passará toda a sua infância pisando em ovos. Nós devemos definir o padrão e ser consistentes em seguir com as consequências quando esse padrão é violado, ou podemos exasperar nossos filhos e provocá-los à ira.

Uma criança que nunca sabe o que deve esperar também pode se tornar insegura. Há uma grande sensação de segurança em saber o que esperar. Que cruel é para elas viverem com medo por não saberem o que pode acontecer a seguir. Que cruel é que a sua disciplina seja baseada no humor, nível de energia ou capricho do pai. Todas as crianças, quer estejam engatinhando ou andando, encontram mais segurança em saber onde seus limites estão. De fato, com limites vem a liberdade. Quando você estabelece limites para seus filhos, está lhes dando a liberdade para determinar quando haverá consequências. Eles são corrigidos por sua própria escolha e não pela emoção ou estado de espírito dos pais. Uma criança segura é uma criança que sabe seus limites e é corrigida de forma consistente quando os ultrapassa.

A vara da correção retorna a criança a um lugar de submissão a seus pais, um lugar onde Deus prometeu bênção. A disciplina lhe permite obter autocontrole. A disciplina a ajuda a respeitar mãe e pai e promove uma atmosfera de proximidade entre os pais e a criança. A mãe que é consistente e não permite que a criança desafie sua autoridade, experimentará intimidade com seu filho. Mas quando lhe é permitido ser rabugento e desobediente, é possível que o afastamento se desenvolva. Não se engane pensando que a palmada dificultará a proximidade. O pai que é consistente em exigir obediência, mantém a relação balanceada. Esse pai desfrutará de um relacionamento próximo e aberto com a criança.

Falta de persistência. Alguns pais usam a vara por alguns dias, tornam-se desanimados quando seus filhos não são transformados durante a noite, e desistem. Eles decidem que a disciplina não é apenas desagradável; mas que também não funciona. Em Hebreus 12.11 lemos que: "Toda disciplina, com efeito, no momento não parece ser motivo de alegria, mas de tristeza; ao depois, entretanto, produz *fruto pacífico* aos que têm sido por ela exercitados, *fruto de justiça*" (grifo meu). Você colhe o que planta, colhe mais tarde do que planta, e colhe mais do que planta.

Quando somos persistentes, nossos filhos aprendem a lei da colheita. Tedd Tripp diz: "Quando a desobediência é recebida com consequências dolorosas, eles aprendem que Deus colocou o princípio da semeadura e da colheita em seu mundo".[8] Nós podemos nos desanimar algumas vezes e pensar que não adianta, mas nossa responsabilidade é confiar em Deus e fazer o que ele diz e então deixar os resultados para ele. Provérbios 3.5 diz: "Confia no SENHOR de todo o teu coração e não te estribes no teu próprio entendimento". Deus quer que façamos tudo o que ele requer durante o tempo que for preciso. Ele nos desafia em Gálatas 6.9: "E não nos cansemos de fazer o bem, porque a seu tempo ceifaremos, se não desfalecermos".

Falta de eficácia. O propósito de uma palmada é infligir dor. Se o Joãozinho está vestindo uma fralda extra-acolchoada e correndo em círculos enquanto a mãe, sem entusiasmo, administra a vara, a palmada é ineficaz. (Veja o capítulo 12 "Orientações para administrar o castigo bíblico"). Tenha em mente que cada criança é diferente. Algumas têm maior tolerância à dor do que outras. Algumas são naturalmente mais submissas do que outras e mais rápidas em demonstrar arrependimento sincero. Como mãe, você tem que determinar o que é "eficaz" para seu filho. Por favor, note que, se alguma vez você deixar algum hematoma em seu filho, você está batendo muito forte.

Falta de Justiça. Quando a vara é administrada em ira pecaminosa ou com a motivação errada, a criança se ressentirá em vez de se arrepender. As crianças não cederão à correção quando esta for administrada em ira injusta ou se o pai disciplinar por razões egoístas. E Deus não honrará nossos esforços, se forem conduzidos em pecado. Está tudo bem se a criança tiver que esperar em seu quarto enquanto a mãe ora por alguns minutos e acalma seu coração antes de administrar a vara. Verifique se seu motivo para disciplinar seus filhos é justo, e não causado por raiva, porque Tiago 1.20 nos diz que "a ira do homem não produz a justiça de Deus". Sua motivação não deve ser vingança, mas amor. Deve ser expulsar a estultícia do coração da criança. A disciplina não deve ser uma mentalidade do tipo "eu vou lhe mostrar!" ou "mocinho, agora você vai ver!", ela deve ser "eu o amo demais para permitir que esse pecado crie raízes em seu coração e cresça".

Capítulo 11

Definindo padrões de obediência

Devemos esperar obediência imediata de nossos filhos. Ensinar-lhes que Deus quer que eles obedeçam por completo, de imediato e com um coração alegre. Assim que meus filhos foram capazes de falar, eu lhes perguntava: "Como é que Deus quer que você obedeça?" Eles respondiam: "Por completo, de imediato e com um coração alegre". Eu falei bastante sobre instruir os filhos com essa norma, então me permita destrinchar cada ponto e reforçar cada um com as Escrituras.

A obediência deve ser por completo. A Bíblia afirma que a obediência deve ser completa. Deus demonstra a importância da obediência completa por meio da vida do Rei Saul em 1 Samuel 15. Deus disse a Saul para destruir completamente os amalequitas, incluindo todos os seus animais. Saul começou a pensar sobre o desperdício que seria matar todos aqueles animais, então, decidiu, por conta própria, manter alguns para si. Após a batalha, Samuel questionou o rei Saul, perguntando se ele havia obedecido totalmente à ordem de Deus. Tenho certeza de que o sangue subiu para o rosto de Saul enquanto ele acenava com a cabeça. Em seguida, o coração de Saul provavelmente parou por um instante quando as ovelhas começaram a balir no fundo. Saul foi pego com a mão na botija e, assim como uma criança que diz: "Eu só estava pegando um para você, mamãe", Saul tentou justificar sua desobediência, afirmando que estava apenas lhes poupando para oferecer como sacrifícios a Deus. Mas Samuel respondeu: "Obedecer é melhor do que sacrificar". Como consequência da falta de obediência completa por parte do rei Saul, o reino lhe foi tirado.[1]

A obediência deve ser de imediato. Sempre que meu pastor prega sobre a obediência, ele termina com o clássico preceito: "Obediência tardia é desobediência". Uma criança deve ser instruída para responder prontamente na primeira vez que o pai dá uma ordem. O pai não deve ter que gritar, ameaçar ou repetir instruções a fim de obter obediência. A ordem que deve ser obedecida é para ser dita em um tom de voz normal e apenas uma vez. As consequências de obediência tardia são vistas na vida de Jonas. Deus disse a Jonas para ir a Nínive. No final, Jonas foi. Mas as consequências de sua obediência tardia colocaram a vida dele e a de muitos outros em grande perigo espiritual e físico. Obediência imediata deve ser o padrão, e deve se esperar que os filhos cumpram essa norma. Devemos reforçar a expectativa com a vara cada vez e toda vez que eles não obedecerem – ou estaremos lhes enviando sinais dúbios.[2]

A obediência deve ser com um coração alegre. Deus requer não somente obediência *externa*, mas também obediência *interior*. Obediência interior vem de um coração que está alegre. Se uma criança está obedecendo com uma atitude errada, ela não está obedecendo de um modo que agrade a Deus. Uma criança que obedece exteriormente, mas está irada interiormente porque não conseguiu fazer do seu próprio jeito é uma criança que não é verdadeiramente feliz. A verdadeira felicidade permeia a criança que se deleita em obedecer, porque ela sabe que está agradando a Deus e a seus pais. Felicidade e contentamento são escolhas do coração. Os filhos podem escolher obedecer com o coração contente. Os pais devem orientá-los a fazê-lo.

Quando o Wesley era mais novo, posso dizer com certeza que ele recebia mais palmadas por desobedecer *com a atitude dele* do que por *desobediência direta*. Ele fazia o que eu lhe dizia, mas, no processo, ele saía batendo o pé e fazendo careta. Precisou de muita correção para lhe ensinar que a obediência completa é expressa com um coração alegre e uma atitude correta.

Atitudes corretas não dizem respeito às emoções. Dizem respeito à vontade, significa que uma criança pode escolher ser feliz e contente. E Deus a chamou para isso em Filipenses 2.14: "Fazei tudo sem murmurações nem contendas". E 1 Tessalonicenses 5.16-18 diz: "Regozijai-vos sempre. Orai sem cessar. Em tudo, dai graças, porque esta é a vontade de Deus em Cristo Jesus para convosco". Roy Lessin diz:

> Os sentimentos ou emoções são um barômetro da vontade. Quando uma criança escolhe a atitude correta, a resposta emocional apropriada seguirá.[3]

Até mesmo a uma criança pequena pode ser dito: "Querido, você precisa obedecer à mamãe com um coração feliz". Eu ainda tenho que lembrar ao Wesley que a atitude dele é uma escolha. Emoções são boas, mas eu não quero que ele seja um escravo de suas emoções – então eu lhe lembro: "Querido, você está escolhendo ter uma atitude ruim, quando você deveria estar escolhendo obedecer com uma atitude correta".

Agora, as crianças devem ter permissão para vir e falar livremente sobre os pensamentos e sentimentos delas e fazer perguntas, mas isso deve ser feito em um tom de voz agradável e com uma atitude de respeito. Em outras palavras, uma criança com uma atitude desrespeitosa pode dizer: "Por que você tem que me dar essa hora de dormir tão ridícula, às oito horas da noite?" Uma criança que quer resolver esse problema respeitosamente pode perguntar: "Agora que tenho nove anos de idade, poderíamos discutir minha hora de dormir?"

Evitando armadilhas

Para obter obediência imediata de seu filho com um coração disposto, você deve evitar as armadilhas que sabotarão seus esforços no ensino adequado.

Repetir-se. Há alguns pais que dirão a seus filhos para fazer alguma coisa duas ou três vezes antes que eles façam. Se estivermos habituados a não exigir obediência imediata, então estamos fazendo com que nossos filhos tenham o hábito de não obedecer imediatamente.

Levantar a voz. Outros pais precisam levantar a sua voz para além do normal antes de seus filhos obedecerem. Eles dão a primeira ordem, e o filho pensa: "Ah, eu tenho tempo de sobra". Então, a ordem vem até ele um pouco mais alta, e a criança olha para cima para examinar a mãe e pensa: "Ah, eu ainda tenho algum tempo, os olhos e as veias do pescoço dela não estão protuberantes ainda". Então, finalmente, quando a mãe se torna verde, inchada a ponto de rasgar as próprias roupas e se transforma no *Hulk*, eles obedecem.

Técnicas mundanas. Então, há aqueles pais que dizem: "Se você não fizer isso até eu contar até três, você vai levar, mocinho!" Eles contam: "Um"... a criança não se move, "dois"... a criança ainda não se move, "dois e meio"... e assim vai. As crianças agirão de acordo com o padrão que os pais definirem. Se você não espera que seu filho obedeça até a contagem de três, então ele não obedecerá até que você conte. Por que não exigir obediência imediata? Essa norma não deixa espaço para dúvida ou confusão. É muito mais fácil e muito mais pacífica. Se meu filho está saindo da calçada para uma rua movimentada, eu não quero ter que contar até três para que ele obedeça.

Mais importante, estamos instruindo-os e preparando-os para obedecer a Jesus. Os pais são frequentemente responsáveis pelos hábitos de seus filhos. Nós queremos que eles estejam habituados a nos obedecer na primeira vez, de modo que, quando se renderem ao senhorio de Cristo, eles tenham mais facilidade de lhe obedecer na primeira vez. Portanto, antes de começar sua contagem até três, pergunte a si mesmo:

"Eu quero que meu filho tenha o hábito de obedecer a Deus na primeira, segunda ou terceira vez?" Instruir as crianças a obedecer rapidamente deve ser o padrão. Nós precisamos ter cuidado com coisas assim: repetir instruções duas ou três vezes, levantar nossas vozes ou dar-lhes tempo até a contagem de três. Essas coisas nos afastam de ensinar nossos filhos a obedecerem imediatamente e completamente.

Tolerar pequenos atos de desobediência. Nós também precisamos ser cuidadosos ao corrigir apenas grandes atos de desobediência enquanto deixamos atos menores passarem despercebidos. Cerca de cem anos atrás, J. C. Ryle advertiu os pais: "Cuidado ao deixar pequenas falhas passarem despercebidas sob a ideia de que é algo pequeno. Não há coisas pequenas ao instruir filhos; todas são importantes. Ervas daninhas pequenas precisam ser arrancadas tanto quanto qualquer outra. Deixe-as sozinhas, e em breve elas estarão grandes".[4] Qualquer pessoa com um jardim sabe a importância de ser consistente com as ervas daninhas pequenas. Se as deixarem crescer por todo o verão, elas serão incrivelmente difíceis de arrancar. Era fácil quando as raízes eram pequenas e não muito profundas. Mas arrancar essas ervas daninhas mais tarde é um trabalho árduo, pois elas têm sido negligenciadas por tanto tempo. As raízes se aprofundaram e se espalharam amplamente.

Posso dizer por experiência pessoal que é o mesmo com as crianças. Mais uma vez, é muito mais fácil educar do que reeducar. Muitas vezes eu me encontrei em uma rotina. Meus filhos iam bem por semanas e, então, pequenos atos de desobediência ou desrespeito começavam a aparecer sorrateiramente, e eu os deixava passar, porque eles estavam indo muito bem. A próxima coisa que sei é que estou frustrada, estou me repetindo e levantando minha voz. A culpa é minha. É porque não tenho sido obediente a Deus em instruí-los de forma consistente e diligente na justiça. E em virtude da minha desobediência e negligência, minha relação com meus filhos não é mais tão íntima e aberta. Tensão e frustração entraram sorrateiramente em nosso relacionamento e nos roubaram a abertura e a proximidade que nós normalmente partilhávamos. Nós todos sofremos as consequências da minha desobediência.

É nessas horas que preciso me sentar com eles e dizer: "Crianças, preciso pedir perdão a vocês. A mamãe tem permitido que vocês desobedeçam. Eu não tenho instruído vocês da maneira que deveria. É minha responsabilidade instruí-los em sabedoria, mas tenho permitido que vocês se comportem de forma tola".

Eu também lhes explico que pedi ao meu Pai celestial que me perdoe pela minha desobediência. Esse não apenas é um passo importante para mim, mas também modela a confissão e o arrependimento bíblico para eles. É benéfico permitir que a criança realmente ouça a oração. O meu próximo passo é revisar o que é esperado deles (nós revisamos o padrão), e eu lhes digo que os amo demais para permitir que desobedeçam e vivam tolamente.

Esperar até que a chaleira ferva. A tendência a ignorar a desobediência é muitas vezes baseada no humor ou na emoção dos pais. Alguns de nós temos o que Bruce Ray chama de "temperamento de chaleira".

Um temperamento de chaleira é caracterizado pela calma aparente, mas pela turbulência interior. Exteriormente, tudo parece bem, mas, por dentro, um monte de pequenas coisas está começando a se agitar e ferver até que, finalmente, muito barulho escapa do pequeno buraco no topo da chaleira. De repente, nós explodimos e pegamos o pequeno Jimmy. Nós o colocamos sobre nossos joelhos e, em seguida, o deixamos realmente ter o que merece, dando-lhe uma surra como nunca teve antes em sua vida. De alguma forma, nós pensamos que aquela única surra compensará todas as pequenas coisas que o Jimmy fez durante o dia.[5]

Esse tipo de disciplina é errado, porque é baseado no humor e na emoção. A surra foi um alívio da frustração da mãe, e não um ato autocontrolado de amor. Uma boa surra no final do dia nunca pode compensar as palmadas que deveriam ter sido dadas ao longo do dia. Mães que têm um temperamento de chaleira precisam depender da graça de Deus para que possam agir de forma contrária à sua natureza e em harmonia com a Palavra de Deus.

Capítulo 12

Bater ou não bater?

Apesar do que eu disse sobre a importância da palmada, também acredito que existam ocasiões que possam parecer situações de disciplina, mas não justificam a palmada. É inadequado bater pelas seguintes razões:

Comportamento infantil. As crianças são naturalmente imaturas e não devem ser disciplinadas por agirem de acordo com sua idade. Há uma diferença entre *infantilidade* e *insensatez*. A infantilidade se torna insensatez quando instruções claras foram dadas à criança, e ela compreende essas instruções, mas escolhe desobedecer.

Por exemplo, é infantilidade de Sally May brincar de escorregar na banheira e deixar o chão todo molhado. Ela não deve ser punida por um ato infantil como esse. Mas esse mesmo comportamento se torna insensatez, caso a mãe a instrua claramente a não escorregar, e ela faça isso de qualquer maneira e deixe o chão todo molhado. Então, ela deve ser disciplinada por ser tola.

Incapacidade de realizar algo. Os pais devem evitar o uso da palmada para tentar forçar uma criança a realizar algo atleticamente ou intelectualmente. Quando digo intelectualmente, estou falando de bater em uma criança porque ela tirou uma nota baixa na escola, embora tenha se esforçado estudando. Todas as crianças têm os seus próprios talentos e habilidades dados por Deus. Algumas podem gostar de ler, enquanto outras gostam de desenhar. Algumas podem amar praticar esportes, enquanto outras amam tocar um instrumento musical. Os pais não devem tentar modificar as habilidades naturais e os desejos pessoais (ou interesses) de seus filhos.

Acidentes. Acidentes não intencionais, como derramar bebidas, não são também razões para bater. Acidentes podem ser frustrantes para a mãe, mas pergunte a si mesma: "o acidente ocorreu como resultado da criança ter sido desobediente?" Se Tommy derruba acidentalmente seu copo de Del Valle Kapo de morango no tapete novo da sala, não é um ato de desobediência, e ele não deve ser punido por isso (apesar de que seria apropriado fazer a criança ajudar a limpar). No entanto, se a mãe claramente instruiu Tommy a beber seu Del Valle Kapo na cozinha e a não passear na sala com ele, e ele derrama sobre o tapete, o castigo estaria correto. Não porque ele acidentalmente o derramou, mas porque ele deliberadamente desobedeceu à sua ordem para ficar na cozinha com a bebida.

Antes de saber todos os fatos. Outro momento em que uma palmada não deve ser dada é quando você não tem todos os fatos que cercam as circunstâncias. Houve muitas vezes que tive que me desculpar por tirar conclusões precipitadas antes de ter todos os fatos.

Nós temos um riacho atrás da nossa casa com uma pequena ponte em que é possível atravessar para entrar na floresta. Meus filhos gostam de atravessar a ponte e brincar na floresta. No entanto, um dia, eles decidiram que o riacho parecia mais intrigante do que a floresta, então eles se entregaram a atividades no riacho que envolviam ficar molhado e enlameado. Eles pareciam se divertir tanto que dei uma de mamãe "legal" e ouvi com entusiasmo as grandes aventuras que eles tinham desfrutado no riacho. Bem, naturalmente, a área recém-descoberta os atraiu de volta no dia seguinte... e no dia seguinte... e no dia seguinte, até que, finalmente, eu estava disposta a perder a posição de "legal" por uma pausa de roupas e crianças molhadas e enlameadas.

Eu instituí a lei. "Crianças, foi ótimo o tempo no riacho, mas é hora de parar de ficar enlameado e molhado todos os dias. Vocês não podem mais brincar no riacho. Vocês podem atravessar a ponte e brincar na floresta, mas não mais do riacho. Está claro?" Duas cabeças pequenas assentiram uma resposta afirmativa.

Não passaram nem dois dias, entra o Wesley na garagem com a calça toda molhada e lama saindo por entre seus dedos. Ele abriu a boca para falar, mas antes que ele dissesse uma palavra, eu me intrometi. Comecei imediatamente a falar sobre como ele havia me desobedecido. Eu informei a ele que ele perderia o privilégio de brincar fora de casa por uma semana.

Quando finalmente fechei minha matraca, olhei para baixo. Havia uma expressão de desespero total em ambos os rostinhos. Em meio a lágrimas e um lábio trêmulo, Wesley começou a explicar como eles estavam atravessando a ponte para brincar na floresta, quando Alex deixou cair acidentalmente o ursinho de pelúcia dela no riacho. Ele continuou falando sobre como ela ficou chateada. Ela estava com medo gritando: "Ele vai se afogar, Wesley! Ele vai se afogar!" Então, ao passar os braços em volta da minha perna, ele concluiu: "Mamãe, eu sei que você nos disse para não ir ao riacho, mas eu tentei pensar no que você gostaria que eu tivesse feito. Alex estava tão chateada, e eu pensei que você iria querer que eu pegasse o seu ursinho para ela".

Ai, ai, ai. Eu estava errada e tive que lhes pedir para me perdoar por tirar conclusões precipitadas antes que eu tivesse todos os fatos. A Bíblia nos adverte: "Responder antes de ouvir é estultícia e vergonha" (Pv. 18.13).

Enquanto você está irritado. Como já disse, um pai que bate com raiva no filho está pecando contra Deus e pecando contra o próprio filho. Se você está com raiva, tire um tempo para orar até que ela passe e permitir que Deus torne seus motivos puros antes de bater. Disciplinar com raiva pode fazer a criança ressentir-se em vez de arrepender-se.

Quando a vara é necessária?

Nós sabemos, a partir de Provérbios 22.15, que a estultícia está ligada ao coração da criança, e sabemos que a vara da disciplina afasta essa estultícia. Biblicamente, nós disciplinamos a estultícia. Então, o que exatamente é a estultícia? Roy Lessin diz: "Essa palavra refere-se a uma disposição egoísta do coração que ignora a sabedoria e vontade de Deus, escolhendo viver independentemente dele".[1]

A vara é útil para corrigir essas áreas de estultícia:

1. *Desobediência direta.* Desobediência direta é quando você deu instruções claras a seu filho e fez com que ele entendesse essas instruções, mas ele escolhe desobedecer. "Filhos, em tudo obedecei a vossos pais; pois fazê-lo é grato diante do Senhor" (Cl. 3.20).

2. *Atitude desafiadora.* Atitude desafiadora é quando a criança expressa a rebelião em suas ações, palavras, tom de voz ou expressões faciais. "Servi ao Senhor com alegria" (Sl. 100.2). "Fazei tudo sem murmurações nem contendas" (Fp. 2.14).

Orientações para administrar o castigo bíblico

Administrar a vara sem seguir os princípios bíblicos pode ser contraprodutivo e até mesmo perigoso ou nocivo para a criança. Sempre siga estas diretrizes ao bater em seu filho. As seguintes diretrizes são para você e seu filho; você só bateria no filho de outra pessoa se tivesse a permissão dela.

Discuta o que a criança fez de errado e porque é sua a responsabilidade de disciplíná-la. Você pode investigar seu coração, fazendo-lhe perguntas como: "Deus está satisfeito com o que você fez? O que havia de errado com o que você fez?" Certifique-se de que ela saiba que você a está disciplinando, porque você a ama demais para permitir que o pecado crie raízes em seu coração e cresça. Lembre-se de usar a terminologia bíblica ao repreender seu filho, pois, de acordo com Hebreus 4.12, é a Palavra de Deus que realmente penetrará o coração da criança. Também é importante que a criança confesse verbalmente o que fez e peça perdão.

Oriente seu filho a pensar o que deveria ter feito. Pergunte a ele: "O que *você poderia* ter feito nessa situação que teria sido melhor?" Deixe-o pensar por ele. Isso é ensiná-lo a como "pensar" como um cristão.

Use o instrumento adequado para bater. Você não quer usar algo tão duro a ponto de deixar hematomas em seu filho. Use algo um pouco mais flexível, de modo a causar dor sem deixar feridas.

Deixe a criança saber quantas palmadas você estará dando. Dizer a seu filho quantas "palmadas" ele receberá demonstra que você está usando o autocontrole. Se a criança não chegar a um ponto de arrependimento e submissão, pode ser necessário dar outra palmada.

Bata tão prontamente após *a ofensa quanto possível.* Leve a idade da criança em conta. Prontidão é ainda mais importante com as crianças mais novas. Uma criança de dois anos de idade que desobedece enquanto há companhia para jantar não deve apanhar duas horas mais tarde, depois que a companhia se for. Embora seja uma hora inconveniente, seria justiça para a criança desculpar-se educadamente e sair para um momento de correção. No entanto, uma criança de quatro anos de idade que desobedece no supermercado pode certamente esperar até que os mantimentos sejam comprados e levados para casa para receber o castigo.

Administre a palmada em privado. Lembre-se de que seu objetivo não é o de constranger ou humilhar a criança, mas de levá-la ao arrependimento. Um coração arrependido não resultará de uma criança cujo foco principal está no fato de estar sendo envergonhada na frente dos amigos ou irmãos (ou o público na fila do mercado).

Administre a vara no traseiro da criança. A parte inferior é uma área sensível e ainda é amortecida, de tal forma que uma palmada adequada não causará danos físicos.

Tire um tempo para a reconciliação. Isso requer o perdão da mamãe. Quando nossos filhos pecam, não devemos guardar rancor. Mark Twain disse uma vez: "O perdão é a fragrância que a violeta deixa sobre o calcanhar que a esmagou". Uma vez eu falei para um grupo de mães sobre a questão da palmada. Durante a parte de perguntas e respostas, uma mãe disse: "Meu filho quer que eu o abrace logo após receber uma surra. Eu sou incapaz de fazê-lo porque estou tão zangada. Eu só preciso de um tempo para 'esfriar' um pouco antes que eu possa 'fazer as pazes' com ele". Essa mãe nunca deveria ter batido no filho para começar, já que ela estava tão irada. Somos ordenados a perdoar como Jesus perdoou – e perdoar sem demora.

Não importa o que tenham feito ou o quanto tenham nos envergonhado ou magoado, não é *nada* comparado ao que fizemos para o Cordeiro imaculado de Deus. Foi por nossos pecados contra ele que ele sofreu e morreu na cruz do Calvário. E no calor do momento, enquanto ele pendia ali, sofrendo em dor física e espiritual agonizante e insuportável, seu amor e perdão foram evidentes em suas palavras: "Pai, perdoa-lhes". Guardar rancor é pecaminoso. Jesus não tirou um tempo para "esfriar". Seu perdão foi imediato e completo. Não temos direito algum de reter o perdão de nossos filhos, mesmo no calor do momento. Colossenses 3.13 diz: "Assim como o Senhor vos perdoou, assim também perdoai vós". Que santo exemplo de amor sacrifical, incondicional e verdadeiro Jesus estabeleceu para nós naquele dia no Calvário.

Exija que a criança faça a restituição. Na maioria dos casos envolvendo crianças pequenas, isso é simplesmente uma questão de fazer a criança voltar e praticar o que é certo. Em alguns casos, a restituição pode implicar mais. Talvez a criança tenha roubado um pedaço de doce; a restituição estaria em pedir perdão *e* ressarcir o proprietário do doce. A restituição é mais do que apenas pedir perdão: é voltar e fazer as coisas direito. E é uma parte muito importante da instrução na justiça.

Após terminar a palmada, tome a criança em seus braços e lhe diga o quanto você a ama. A sua ficha está limpa. Ela foi desobediente e devidamente disciplinada, agora esqueça a questão.

Considerações finais

Nós questionamos muitas vezes nossos métodos e nos perguntamos se estamos criando nossos filhos corretamente. Se tivermos certeza de que os métodos que usamos para disciplinar, educar e instruir nossos filhos se originam nas Escrituras, podemos estar confiantes de que estamos criando nossos filhos da maneira correta, que é a maneira de Deus.

Talvez você não esteja instruindo seus filhos de acordo com a Palavra de Deus e, depois de ler este livro, você teme que seja tarde demais. Anime-se, cara amiga! Nunca é tarde demais! Posso testemunhar isso! Veja você, eu não fui criada em um lar cristão. Embora meus pais fossem pessoas extremamente morais, minha família nunca havia colocado os pés dentro de uma igreja até eu ter 17 anos de idade. Meus pais haviam praticamente terminado de criar meu irmão e a mim quando aceitaram a Jesus Cristo como seu Senhor e Salvador. No momento em que aprenderam sobre o plano de Deus para a família na Bíblia, os corações deles se entristeceram porque Jesus havia sido deixado de fora de nossas vidas por muitos anos. Mas eles foram encorajados a não desistir de seus filhos rebeldes. Eles oraram e buscaram na Palavra de Deus sobre como recompensar por todos esses anos que o deixaram fora de nossa família. Eles ganharam forças a partir das muitas promessas de Deus. Um verso em particular que se destacou para eles foi Joel 2.25a: "Restituir-vos-ei os anos que foram consumidos pelo gafanhoto".

Meu pai se ajoelhou ao lado de minha cama uma noite, pegou minhas mãos nas dele e me pediu para perdoá-lo por não ter me criado nos caminhos do Senhor. A partir desse momento, meus pais foram diligentes na busca da vontade de Deus para nossa família. Como consequência de sua paixão para agradar a Deus, em palavras e ações, eu aceitei Jesus como meu Senhor e Salvador quando tinha 18 anos de idade. Deus é fiel, e a Sua Palavra nunca volta vazia (cf. Is. 55.11).

Eu gostaria de incentivá-la a continuar pesquisando e aprendendo com o manual de instruções santo, a Bíblia. Que bênção é Deus não ter nos deixado descobrir como criar nossos filhos por conta própria. Ele nos deu tudo de que precisamos para a vida e a piedade. Por favor, saiba que este livro não contém tudo de que você precisa saber para criar seus filhos. Você não pode fazer a etapa A e depois a B e sempre obter C como resultado. Se você depender apenas das informações que eu forneci, você acabará derrotada e confusa. Você deve ser 100% dependente de Deus e da Palavra dele. A vontade dele não é que sejamos derrotadas e confusas, mas que dependamos dele. E quando o reconhecermos em todos os nossos caminhos, ele promete nos dar sabedoria e fazer nossos caminhos retos. "Confia no SENHOR de todo o teu coração e não te estribes no teu próprio entendimento. Reconhece-o em todos os teus caminhos, e ele endireitará as tuas veredas" (Pv. 3.5-6).

Instruir nossos filhos na justiça é um processo, mas Deus promete que, da mesma forma como trabalhar em um jardim, nós colheremos o que semearmos. Continuemos a plantar as sementes da justiça. Não consigo imaginar um jardim melhor para plantar essas sementes do que no solo dos corações de meus filhos. A Deus seja a Glória.

CONSIDERAÇÕES FINAIS

Apêndice A

Como se tornar um cristão?

Quando perguntado "Você é cristão?", um grande número de americanos dirá: "Sim". Segundo as estatísticas, a maioria dos americanos acredita em Deus e que irá para o céu quando morrer. No entanto, a Bíblia diz: "Entrai pela porta estreita (larga é a porta, e espaçoso, o caminho que conduz para a perdição, e são muitos os que entram por ela), porque estreita é a porta, e apertado, o caminho que conduz para a vida, e são poucos os que acertam com ela" (Mt. 7.13-14). Por que tantas pessoas pensam que são cristãs, se não são? Um cristão falso é enganado pelo que parece lógico para ele. "Há caminho que ao homem parece direito, mas ao cabo dá em caminhos de morte" (Pv. 14.12).

Um cristão falso

Acredita em Deus. Simplesmente acreditar em Deus não faz de você um cristão. O próprio Satanás, juntamente com todos os demônios do inferno, acredita em Deus. Tiago diz: "Crês, tu, que Deus é um só? Fazes bem. Até os demônios creem e tremem" (Tg. 2.19). A diferença entre um cristão falso e um verdadeiro é que um cristão verdadeiro não apenas acredita em Deus, ele *conhece* a Deus pessoalmente. A fim de realmente conhecer alguém, devemos gastar tempo com essa pessoa. Se você não tem nenhum desejo de passar tempo com Deus por meio da oração e aprender mais sobre ele pela leitura de sua Palavra, você deve refletir se realmente o *conhece*.

Acredita em si mesmo. Algumas pessoas pensam que são cristãs porque se esforçam para viver uma vida moral. Elas avaliam a si mesmos como "boas" em comparação a outras. Com base em suas boas ações, acreditam que ganharam o direito de entrar no céu. A Bíblia ensina que nossas boas ações não comprarão nosso bilhete para o céu: "Todas as nossas justiças são como trapo da imundícia" (Is. 64.6). Se pudéssemos receber a salvação por sermos boas pessoas, então Deus enviou seu filho para morrer sem motivo. Dizer que você é bom o suficiente para entrar no céu por conta própria é rejeitar o sacrifício expiatório de Jesus Cristo.

Acredita na religião. Ser cristão não se trata de uma *religião*, trata-se de um *relacionamento*. A salvação não é encontrada ao frequentar a igreja em três dos quatro cultos dominicais do mês. A salvação não é encontrada em sua preferência denominacional. A salvação é encontrada na pessoa de Jesus Cristo. Ir à igreja, limpar narizes no berçário e dar aula na escola dominical não lhe dá pontos extras no Livro da Vida do Cordeiro. O Senhor condenou os líderes "religiosos" e todos seus rituais religiosos quando disse: "Visto que este povo se aproxima de mim e com a sua boca e com os seus lábios me honra, mas o seu coração está longe de mim, e seu temor para comigo consiste só em mandamentos de homens, que maquinalmente aprendeu" (Is. 29.13). Jesus descreveu essas pessoas como aquelas que limparam o exterior do copo enquanto o interior ainda estava imundo (Mt. 23.25). Deus está preocupado com o seu coração, não com a sua religião aparente.

Acredita na misericórdia incondicional. Eu queria ter ganhado uma moeda para cada vez que ouvi: "Deus é bom demais para me mandar para o inferno. A sua misericórdia prevalecerá". É verdade que Deus é misericordioso, mas ele também é perfeitamente justo. Ele é santo demais para apenas "apagar" nosso pecado; a pena deve ser paga. Para aqueles que *aceitam* seu filho, a justiça de Deus recai sobre Jesus, e eles recebem misericórdia. Mas para aqueles que *rejeitam* seu Filho, a justiça de Deus recai sobre eles. Jesus explica desta forma: "Todo aquele que me confessar diante dos homens, também eu o confessarei diante de meu Pai, que está nos céus; mas aquele que me negar diante dos homens, também eu o negarei diante de meu Pai, que está nos céus" (Mt. 10.32-33).

A justiça e a misericórdia de Deus encontram sua expressão máxima na cruz, onde Jesus morreu como expiação pelos nossos pecados. Ao derramar sua ira sobre Jesus, ele derrama sua misericórdia sobre aqueles que creem. Mas aqueles que rejeitam sua misericórdia ao rejeitarem seu filho, sofrerão certamente a sua ira. Jesus disse: "Quem nele crê não é julgado;

o que não crê já está julgado, porquanto não crê no nome do unigênito Filho de Deus" (Jo. 3.18).

UM CRISTÃO VERDADEIRO

Tornar-se um cristão é tão simples quanto receber um presente. Na verdade, a salvação é um dom gratuito. Nós não podemos alcançá-la. Não podemos comprá-la. Jesus a comprou para nós com seu próprio sangue. "Porque o salário do pecado é a morte, enquanto o dom de Deus é a vida eterna" (Rm. 6.23). Em outras palavras, o "salário", ou consequência, de nossos pecados é a morte. A Bíblia define a morte eterna como a separação de Deus (veja Mt. 7.23). Um cristão verdadeiro:

Acredita que é um pecador. "Pois todos pecaram e carecem da glória de Deus" (Rm. 3.23). O pecado é o que nos separa de Deus. Pecar é simplesmente quebrar a lei de Deus, seus mandamentos, como mentir. Todos nós quebramos a lei de Deus. Portanto, todos somos pecadores.

Acredita que Jesus Cristo morreu por ele. "Porque Deus amou ao mundo de tal maneira que deu seu Filho unigênito, para que todo o que nele crê não pereça, mas tenha a vida eterna" (Jo. 3.16). Não há amor maior do que o amor que Jesus tem por você. Não foram os pregos que o prenderam à cruz naquele dia, mas o amor dele por você. Ele sofreu e morreu para que você pudesse ter vida em abundância.

Porque Deus é santo, ele não pode tolerar o pecado. Na verdade, ele disse que todo pecado deve ser punido com a morte. Deve-se lembrar de que nós deveríamos cada um pagar pelos seus próprios pecados. Mas Deus, em virtude de seu amor por nós, pagou o preço ao enviar Jesus para morrer na cruz. Deus chamou isso de "expiação" de Cristo, ou pagamento, pelos nossos pecados.

Acredita que a salvação é somente através de Jesus Cristo. Jesus diz: "Eu sou o caminho, e a verdade, e a vida; ninguém vem ao Pai senão por mim" (Jo. 14.6). Jesus Cristo é a única provisão para nosso pecado. Para que sejamos perdoados, precisa haver reparação pelos nossos pecados. Jesus é a nossa expiação. Ele morreu para que pudéssemos viver. Ele pagou o preço para que nós não tivéssemos que pagar: "Pois também Cristo morreu, uma única vez, pelos pecados, o justo pelos injustos, para conduzir-vos a Deus" (1Pe. 3.18).

Acredita na promessa de Deus. "Mas, a todos quantos o receberam, deu-lhes o poder de serem feitos filhos de Deus, a saber, aos que creem no seu nome" (Jo. 1.12). A Palavra de Deus é santa e verdadeira. Se você reconhecer a si mesmo como um pecador, crer que Jesus morreu na cruz por seus pecados, arrepender-se deles e convidar Jesus para ser seu Senhor e Salvador, você será salvo. Jesus prometeu: "Eis que estou à porta e bato; se alguém ouvir minha voz e abrir a porta, entrarei em sua casa e cearei com ele, e ele, comigo" (Ap. 3.20).

Tornando-se um Ccistão

Se você gostaria de aceitar Jesus como seu Salvador, receber o perdão de Deus e ter a certeza da vida eterna com ele no céu, eu o convido a falar com Deus com esta oração:

Querido Pai Celestial, reconheço que sou um pecador que precisa do seu perdão, misericórdia e graça. Eu creio que Jesus morreu por mim, pagando o preço pelos meus pecados. Eu creio que Jesus ressuscitou da morte, conquistando a morte para que eu viva eternamente. Eu me arrependo dos meus pecados contra ti. Por favor, perdoe-me. Por favor, lave meus pecados com o sangue precioso que derramou por mim. Eu o convido a entrar em minha vida e reinar como meu Senhor e Salvador. Ajuda-me a conhecê-lo. Ajuda-me a lhe obedecer. Obrigado, Jesus, por me salvar e me dar nova vida em você. Amém.

Todo aquele que invocar o nome do Senhor será salvo. (Rm. 10.13)

Apêndice B

Como conduzir o seu filho a Cristo?

Como conduzir seu filho a Cristo

Todos os pais cristãos anseiam pelo dia em que seu filho receba a Jesus Cristo como Senhor e Salvador. "Mamãe, eu pedi a Jesus para ser o meu Salvador" traz lágrimas aos olhos e alegria aos nossos corações. Enquanto pais que desejam vida abundante de Deus para nossos filhos, devemos nos alegrar demasiadamente ao ouvir essas palavras. No entanto, enquanto pastores sábios sobre os corações de nossos filhos, devemos ser muito cautelosos.

Conduzir nossos filhos a Cristo envolve muito mais do que guiá-los em uma oração simples. É viver um exemplo diante deles do que significa caminhar com Cristo diariamente. É ensinar-lhes a perspectiva de Deus em cada situação. É demonstrar perdão. É pedir perdão. É viver, respirar e adorar a Palavra de Deus na presença de seus filhos, bem como na sua ausência.

Os pais devem ter cuidado para não oferecerem aos filhos uma garantia prematura de sua salvação. É normal ansiar pela salvação de nossos filhos. No entanto, não devemos permitir que nossa esperança se prenda a simples palavras saídas de suas bocas que não refletem uma mudança em seus corações. Não podemos permitir que nosso desejo de paz de espírito engane ou conduza nossos filhos em uma falsa sensação de salvação.

Um pastor bem respeitado afirmou uma vez que poderia levar quase qualquer criança abaixo de dez anos a fazer uma profissão de fé em Cristo. Esse pastor não estava se vangloriando de suas habilidades. Ele estava argumentando sobre a ingenuidade das crianças. Uma criança pode ser facilmente enganada sobre o estado de sua alma. A maioria responderá a um adulto convincente e bem-falante com pouquíssima persuasão. No entanto, uma mera profissão é muito diferente de uma verdadeira conversão. Uma profissão é declarar sua fé. A conversão é demonstrar ou viver sua fé. Profissão é falar. Conversão é agir conforme o que se diz.

Crianças que crescem na igreja testemunham o poder de Deus na vida de outros. Elas confiam na convicção de seus pais de que Deus é real. Elas ouviram as verdades da Palavra de Deus pregada no púlpito domingo após domingo. É de se admirar que elas *acreditem* em Deus e saibam exatamente como professar essa crença? É perigoso supor que seu filho seja realmente salvo simplesmente porque ele tem algum conhecimento das Escrituras e professa sua crença em Deus. É tolice oferecer garantia para uma criança com base em conhecimento por si só.

Compreender a ingenuidade das crianças, a esperança dos pais e os esquemas astuciosos do grande enganador pode nos ajudar a permanecer sóbrios e nos impedir de arriscar as ternas almas de nossos preciosos filhos.

Estou dizendo que uma criança não pode experimentar uma verdadeira conversão? Certamente não. Estou dizendo que devemos ser muito cautelosos ao considerar a imaturidade intelectual das crianças e como que isso desempenha um papel na sua prontidão para compreender e receber a Cristo.

Estou dizendo que devemos repeli-los cada vez que falarem de salvação e batismo, dizendo-lhes para esperar até que estejam mais velhos? Absolutamente não. Devemos convidá-los a vir a Cristo *agora* e sem demora. Um coração que rejeita a oferta do Espírito Santo pode se tornar endurecido para responder no futuro. Devemos encorajá-los a reconhecer a tentação de "pensar em aceitar a Cristo mais tarde". Adiar confiar em Jesus como Salvador e Senhor fornece tempo ao diabo para tecer sua perversa teia em torno dos corações de nossos filhos, apertando cada vez mais enquanto suga toda a ternura.

Encoraje seu filho. Quando seu filho falar de seu amor e compromisso com Jesus, deixe-o saber que você está muito feliz por seu desejo de agradar a Deus. Encoraje-o a discutir seus pensamentos e a lhe fazer perguntas sobre coisas que o confundem. Encoraje-o a conhecer melhor Jesus passando tempo com o Senhor em oração e leitura da sua Palavra. Você talvez queira considerar deixá-lo escolher uma Bíblia adequada à sua idade e um livro de devocional (há alguns disponíveis para leitores iniciantes). Quando ele iniciar seu momento com Deus, deixe-o saber que você está feliz em vê-lo buscar a Jesus.

Nunca desencoraje seu filho, dizendo: "Se você realmente conhecesse a Deus, não agiria dessa forma!" Dizer algo assim desanimaria seu filho e o tornaria um hipócrita. Como um pecador, você carece igualmente da glória de Deus e precisa de sua graça, tanto quanto outro qualquer. Resista à tentação de usar a ira de Deus como uma ameaça para tentar corrigir o comportamento de seu filho: "Deus vai pegar você se você não parar de brigar com sua irmã!" Encoraje-o a se aproximar do trono da graça de Deus por meio do amor de virtude, não pelo medo de punição.

Quando ele pecar, incentive-o a encontrar refúgio no perdão de Jesus. Deixe-o testemunhar você fazer o mesmo. Ensine a seus filhos e filhas o modelo bíblico de reconhecimento do pecado, de verdadeiro arrependimento pelo pecado, de súplica pelo perdão e de mudança de comportamentos e atitudes pecaminosas.

Desafie seu filho. Diga-lhe que Deus define o compromisso verdadeiro como um caminho sem retorno. Informe-o de que se voltar para Cristo é um compromisso de vida, não de uma única oração. Explique que seu compromisso não deve ser baseado no compromisso de seus pais ou amigos. Diga-lhe que seu compromisso deve ser tão forte e verdadeiro que, mesmo se aqueles que ele ama e que o amam se afastarem de Deus, ele não deve fazer o mesmo.

Faça-lhe perguntas que não exijam sim ou não como resposta. Por exemplo: "Como você sabe que Deus ama você?" "Por que você precisa de um Salvador?" "O que Deus fez em relação ao seu pecado?" Não instigue, sugira ou coloque palavras em sua boca. Permitir que ele responda às perguntas por vontade própria ajuda você a discernir seu nível de compreensão e prontidão espiritual. Se você determina que seu filho está pronto para receber a Cristo como seu Salvador e Senhor, consulte o Apêndice A.

Procure por evidências de conversão. Uma definição de arrependimento é "a mudança da mente". Uma verdadeira conversão é demonstrada pelo abandono do pecado e volta para Deus, independentemente da idade do convertido. Se seu filho foi verdadeiramente convertido, haverá uma diferença visível nele. Se o Espírito de Cristo realmente habita no coração dele, o caráter de Cristo fluirá dele. Ao procurar sinais de conversão em seu filho, pergunte a si mesmo:

Ele tenta aplicar a Palavra de Deus à sua vida?
Ele deseja obedecer a seus pais/autoridade mais do que antes?
Ele parece sedento por conhecer Jesus?
Ele recebe correção e instrução com humildade?
Ele tem um forte interesse em agradar a Deus?
Ele parece realmente amar a Jesus?
Você vê uma diferença nele?

Apêndice C

Como orar pelo seu filho?

Não importa em que fase da vida nossos filhos estejam, a coisa mais importante que podemos fazer é orar por eles. Quer estejam ainda de fraldas, em perigo, apaixonados, em rebeldia ou em um carro esportivo, nossa ferramenta mais poderosa e eficaz na criação é a oração fervorosa sobre cada aspecto de suas vidas.

Enquanto pais amaldiçoados com uma natureza pecaminosa, estamos sujeitos ao cometimento de erros. Nós tomaremos algumas decisões erradas. De vez em quando, perderemos o temperamento – ou, devo dizer, nós o *encontraremos*! Por não sermos perfeitos, nós desapontaremos nossos filhos, daremos exemplos ruins e falharemos com eles em mais de uma maneira. No entanto, há uma coisa que sempre renderá frutos e nunca será em vão. Nós podemos orar por nossos filhos conforme a Palavra de Deus. Stormie Omartian diz: "Ser um pai perfeito não faz diferença. Ser um pai de oração faz".

Orar pelos nossos filhos diretamente a partir da Palavra de Deus é orar em harmonia com a perfeita vontade de Deus para suas vidas. É atar nossos desejos vãos e superficiais e desatar a sabedoria e o poder de nosso Senhor poderoso. Quando oramos a partir da Palavra de Deus, renunciamos nossos tolos equívocos do que é melhor ao reconhecer que os caminhos de Deus não são nossos caminhos. Orar a partir das Escrituras é buscar a vontade do Pai mais do que a vontade do pai. "Porque meus pensamentos não são vossos pensamentos, nem vossos caminhos, meus caminhos, diz o SENHOR, porque, assim como os céus são mais altos do que a terra, assim são meus caminhos mais altos do que vossos caminhos, e meus pensamentos, mais altos do que vossos pensamentos" (Is. 55.8-9).

Por que devemos orar?

A oração é um mandamento de Deus . "Regozijai-vos sempre. Orai sem cessar. Em tudo, dai graças, porque esta é a vontade de Deus em Cristo Jesus para convosco" (1Ts. 5.16-18).

A oração nos leva para perto de Deus. "Pois que grande nação há que tenha deuses tão chegados a si como o SENHOR, nosso Deus, todas as vezes que o invocamos?" (Dt. 4.7).

A oração manifesta o poder de Deus. "Confessai, pois, os vossos pecados uns aos outros e orai uns pelos outros, para serdes curados. Muito pode, por sua eficácia, a súplica do justo" (Tg. 5.16).

O QUE DEVEMOS ORAR?

1. Ore para que nossos filhos venham à salvação pela fé em Jesus Cristo.
1 Timóteo 2.3-4

2. Ore para que eles nos honrem e nos obedeçam enquanto seus pais, bem como àqueles com autoridade sobre eles.
Efésios 6.1-3
Hebreus 13.17

3. Ore para que o Senhor os cerque com amigos piedosos e exemplares.
2 Coríntios 15.33
Provérbios 13.20
Provérbios 27.17

4. Ore para que o Senhor coloque em seus corações fome e sede por ele.
Salmo 42.1-2

5. Ore para que o Senhor lhes dê o Espírito de sabedoria e de revelação para que eles possam conhecê-lo melhor.
Efésios 1.17

6. Ore para que os olhos de seus corações estejam sempre iluminados, a fim de que conheçam a esperança para a qual ele os chamou.
Efésios 1.18

7. Ore para que eles sempre sigam a verdade e rejeitem as mentiras de Satanás.
Provérbios 22.3
Tito 2.11-12

8. Ore para que eles frutifiquem para a glória de Deus.
   Gálatas 5.22-23
   Efésios 2.10
   1 João 3.16-18
9. Ore para que eles fujam da tentação.
   1 Coríntios 10.13
   2 Timóteo 2.22-26
10. Ore para que eles usem seus dons e talentos para honrar o Senhor.
   Provérbios 16.3
   1 Coríntios 10.31
11. Ore para que eles sejam libertos do medo à medida que confiarem no Senhor.
   Salmo 56.13
   2 Tessalonicenses 3.16
   2 Timóteo 1.7
12. Ore para que eles se mantenham sexualmente puros para seus futuros companheiros.
   1 Coríntios 10.8
   Hebreus 13.4
13. Ore para que o Senhor traga companheiros piedosos para suas vidas.
   2 Coríntios 6.14-16
14. Ore para que eles levem cativo todo pensamento à obediência de Cristo.
   2 Coríntios 10.5
   Filipenses 4.8

15. Ore para que eles se tornem mais parecidos com ele. Romanos 8.28-29

Em cada situação, precisamos aprender a confiar no Senhor e não nos apoiarmos em nosso próprio entendimento... e todos nós sabemos que, com os filhos, haverá muitas situações assim! Devemos perceber que cada bênção, cada provação e cada situação de partir o coração foram filtradas através de suas mãos de amor. Devemos ter plena confiança na soberania de Deus.

Como devemos orar?

Analise seus filhos e saiba o que está acontecendo nas vidas deles, assim você saberá como orar especificamente para cada um deles. Encontre versículos da Palavra de Deus relacionados às questões que estão enfrentando. Pergunte a seus filhos como você pode orar por eles. Ore a Palavra de Deus para seus filhos (Hebreus 4.12).

Ore em voz alta com eles. Ore com frequência. Ore em conversa como se estivesse falando com alguém no ambiente (sem um linguajar eclesiástico que seja difícil para as crianças entenderem). Ore por toda parte – dentro de casa, ao ar livre, dirigindo o carro, alimentando o gato – para que seu filho perceba que o Pai Celestial está sempre disponível.

Ore sobre as pequenas coisas (como um brinquedo perdido), bem como pelas coisas grandes (como a perda do emprego do papai). Conte-lhes sobre a fidelidade de Deus em responder às suas orações feitas por eles. Considere anotar suas orações respondidas em um diário para que eles leiam nos próximos anos.

A oração não somente o atrairá para mais perto de Deus, como também o aproximará mais de seus filhos. Incentive seus filhos a orar sobre tudo. Garanta-lhes que Deus irá fielmente ao encontro de cada uma de suas necessidades!

Notas

Capítulo 1

1. BARTLETT, Mabel; BAKER, Sophia. *Mothers:* makers of men *[Mães:* formadoras de homens*]*. Nova Yorque: Exposition Press, 1952. P. 92.
2. NOTKIN, Louis M. (ed.). *Mother tributes from the world's great literature [Tributo às mães a partir da grande literatura universal]*. Nova Yorque: Samuel Curl, 1943. p. 177.
3. O'CONNER, Lindsey. *Moms who changed the world [Mães que mudaram o mundo]*. Eugene, OR.: Harvest House, 1999. p. 65.

Capítulo 2

1. Tripp, Tedd. *Pastoreando o coração da criança*. São José dos Campos: Fiel, 1994.

Capítulo 3

1. Tripp, Tedd. *Pastoreando o coração da criança*. São José dos Campos: Fiel, 1994. p. 21.

Capítulo 5

1. Grande parte do material desta seção é uma reformulação do excelente material de *O coração da ira*, de Lou Priolo. São José dos Campos: Nutra, 2009. particularmente o capítulo 4.
2. Priolo, Lou. *O coração da ira*. São José dos Campos: Nutra, 2009.
3. *Ibid.*
4. *Ibid.* Esse exemplo inteiro foi retirado de Lou Priolo. Eu simplesmente substituí meu lugar-comum ao amarrar cadarços por um exemplo diferente. Mães amarram muitos cadarços até que seus filhos aprendam.

Capítulo 7

1. Priolo, Lou. *O coração da ira*. São José dos Campos: Nutra, 2009. p. 125. Neste capítulo, peguei muita coisa emprestada dos capítulos 9 e 10 desse livro.

Capítulo 8

1. Estou novamente devendo a Lou Priolo por muito desse material.
2. Trumbull, H. Clay. *Hints on child training [Dicas sobre criação de filhos]*. Eugene, OR: Great Expectations, 1990. p. 129-131.
3. Hubbard, Ginger. *Wise words for moms [Palavras sábias às mães]*. Wapwallopen, PA: Shepherd Press, 2001.

Capítulo 9

1. Tripp, Tedd. *Pastoreando o coração da criança*. São José dos Campos: Fiel, 1994.

Capítulo 10

1. "É claro que, embora a Bíblia nos dê instruções sobre como viver, ela é muito mais do que isso! É uma grande história arrebatadora contada em forma de narrativa, lei, poesia, profecia, canção, carta, visão, etc., dizendo-nos onde a história começou e para onde está indo – e, acima de tudo, sobre QUEM a história é!" – Walter Henegar.

2. Lessin, Roy. *Spanking:* why, when, how *[Bater:* por quê, quando, como*]*. Minneapolis, MN: Bethany House, 1979. p. 18.
3. Lessin, Roy. *Disciplina:* um ato de amor. Belo Horizonte: Betânia, 1983.
4. *Ibid*.
5. *Ibid*.
6. *Ibid*.
7. Ray, Bruce. *Não deixe de corrigir seus filhos*. São José dos Campos: Fiel, 1989.
8. Tripp, Tedd. *Pastoreando o coração da criança*. São José dos Campos: Fiel, 1994.

Capítulo 11

1. Lessin, Roy. *Disciplina:* um ato de amor. Belo Horizonte: Betânia, 1983.

2. *Ibid*.
3. *Ibid*.
4. Ray, Bruce. *Não deixe de corrigir seus filhos*. São José dos Campos: Fiel, 1989.
5. *Ibid*.

Capítulo 12

1. Lessin, Roy. *Disciplina: um ato de amor*. Belo Horizonte: Betânia, 1983.

O Ministério Fiel tem como propósito servir a Deus através do serviço ao povo de Deus, a Igreja.

Em nosso site, na internet, disponibilizamos centenas de recursos gratuitos, como vídeos de pregações e conferências, artigos, e-books, livros em áudio, blog e muito mais.

Oferecemos ao nosso leitor materiais que, cremos, serão de grande proveito para sua edificação, instrução e crescimento espiritual.

Assine também nosso informativo e faça parte da comunidade Fiel. Através do informativo, você terá acesso a vários materiais gratuitos e promoções especiais exclusivos para quem faz parte de nossa comunidade.

Esta obra foi composta em Chaparral Pro 12, e impressa
na Promove Artes Gráficas sobre o papel Pólen Natural 70g/m²,
para Editora Fiel, em Maio de 2023